" Graffiti "
Collection dirigée par Marjorie Alessandrini

ALBIN MICHEL

présente

un livre de

NUMA SADOUL

Gotlib

avec

Marcel Gotlieb et Numa Sadoul

artistes invités

Alexis   Claire Bretécher   Dany

Yves Got   Greg   Harvey Kurtzman

Patrice Leconte   Lucques   Moebius

Guliermo Mordillo   Jean Mulatier   Peyo

Jacky Redon   Jean Solé

conseiller technique à la psychanalyse

Dr Jack Beaudouard

maquette de mise en pages

Jean-François Pinto Rousseau

couverture de

Loup

NUMA SADOUL

est également l'auteur de :

Oratorio, suivi de *Le sang des feuilles mortes*
Ed. Pierre-Jean Oswald, coll. « Théâtre en France », 1970.

Mémoires d'Adam-François San Hurcelo Lumneri, pornographe
Ed. L'or du Temps, 1971.

Archétypes et concordances dans la Bande Dessinée moderne
chez l'auteur, 1971 (épuisé).

Entretiens avec Hergé
(à paraître prochainement).

illustrations
copyrights DARGAUD, VAILLANT, LITO, EDI-MONDE,
FROMAGE et GOTLIB
(et avec leur aimable autorisation)

© Éditions Albin Michel, 1974
22, rue Huyghens 75014 Paris
ISBN 2-226-00037-2

Numa Sadoul et Gotlib
dédient conjointement
et de tout cœur
ce livre à **Georges Brassens**
avec amitié et gratitude.

1. Gotlib au travail

synopsis

Ce livre est un bilan, pour employer ce terme selon son utilisation médicale. Un bilan de santé, plus exactement, et d'excellente santé. Gotlib est actuellement, après plus de dix ans de carrière, à l'apogée de son art et au seuil de la gloire (je choisis exprès des mots qui le font rigoler). D'autre part, il arrive devant un carrefour où plusieurs chemins s'offrent à lui. Il était donc nécessaire de faire ici le point sur plus de dix ans de carrière (un autre mot qui le réjouit) et de jeter un pont vers l'avenir, comme on dit dans les discours électoraux.

C'est à dessein que je parle de médecine. A côté du créateur génial, il y a l'homme en proie au doute, à des multitudes d'angoisses dont il a fait la nourriture de son œuvre. Je demande par avance pardon aux lecteurs(trices) si ce livre est en grande partie une tentative de psychanalyse, et de psychanalyse à la petite semaine : l'observation en profondeur d'un être écorché vif donne souvent de très précieuses indications sur ses actes, ses messages. Le cheminement de Gotlib à travers ses bandes est une volonté de connaissance de soi, de libération, d'accession à l'équilibre. Et il en va de même pour tout créateur désireux de raconter autre chose que des anecdotes. Ce que Gotlib raconte depuis dix ans, c'est sa propre vie.

A l'origine de ce livre, il y a plusieurs journées d'entretien, une jolie quantité d'heures gravées sur des cassettes. Un entretien qui avait des allures de confession, d'inquisition ou d'affrontement tour à tour. Entre le 8 et le 12 juillet 1973, dans sa maison du Vésinet, Gotlib et moi avons ensemble bavardé sans limite, sans retenue, sans arrière-pensée et sans pudeur. C'est pourquoi je puis affirmer qu'il est, au même titre que moi, auteur du présent bouquin. On a fait ce bilan ensemble ; je n'ai eu par la suite qu'à rédiger. Merci, mon vieux complice, d'avoir autant et si bien travaillé !... Parfois, je prends la liberté de m'attribuer des propos tenus par lui ; parfois, au contraire, je lui prête mes propres paroles. Au bout du compte, le résultat seul importe et tout le monde est content. L'identité de caractère, d'aspirations et de hantises entre lui et moi dépasse l'imaginable. Je n'ai donc eu aucune peine à le saisir « de l'intérieur » pour le mettre à nu. Ce livre, je pense l'avoir fait dans les meilleures conditions puisqu'il me concerne au premier chef : en l'écrivant, je parlais de moi autant que de Gotlib... Et voulez-vous savoir pourquoi Marcel et moi on s'entend si bien ? C'est tout simplement parce qu'on a le même groupe sanguin. Un groupe très rare, de surcroît !

Numa Sadoul — septembre 1973.

Les propos tenus ici par Gotlib n'engagent que sa seule responsabilité. *N.S.*

(Va donc, hé ! dégonflé... *G.*)

L'analyse faite par Sadoul n'engage que ce dernier. *G.*

(Va donc, hé ! trouillard... *N.S.*)

2. *L'un des tout premiers dessins de Gotlib*
(1946 ?)

première séquence :
l'époque (pas toujours) bénie
de l'initiation

gotlib se raconte

GOTLIB. — Je suis né le 14 juillet 1934, tel un feu d'artifice ou un bal populaire. Si l'on se livre à un savant calcul, on constatera que j'ai trente-neuf ans. Né de parents hongrois, du moins ma mère est hongroise. Mon père était roumain, ou plus exactement transylvanien (comme Dracula), donc région hongroise annexée par la Roumanie après la guerre de 14-18. J'ai parlé hongrois quand j'étais môme mais il ne m'en reste plus grand-chose... Mon père s'appelait Ervin Gottlieb, avec deux t. Si mon nom est devenu Gotlieb avec un seul t, c'est qu'à ma naissance, une erreur a été commise sur le registre de l'état civil, par un employé probablement bourré à mort ! Ma mère, elle, se prénomme Régine, née Bermann, comme Ingrid, mais sans g...

SADOUL. — Et qu'est-ce que tes parents étaient venus faire à Paris ?

G. — C'était la grande époque des émigrants juifs qui partaient vers l'ouest. Certains s'arrêtaient en Europe occidentale, d'autres continuaient jusqu'aux Etats-Unis, entassés sur des bateaux, comme Chaplin les montre dans *L'Emigrant*. Et c'est à cette époque-là que mes parents sont venus s'installer en France, parce qu'ils étaient juifs tous les deux. Ils se sont connus à Paris, où mon père s'était établi comme peintre en bâtiment et où maman était venue rejoindre sa sœur aînée.

S. — Ils ont alors pris la nationalité française ? Toi-même, tu es français...

G. — Je suis français parce que mes parents m'ont fait naturaliser à ma naissance. Ils avaient le droit de choisir. Mais eux-mêmes n'étaient pas naturalisés. Ma mère est devenue française après la guerre de 39-45, donc bien après moi. Comme tu vois, à peu de chose près, je restais hongrois, encore que j'aurais pu me faire naturaliser par la suite, à n'importe quel moment. De toute façon, ça n'a pas d'importance, n'est-ce pas ? Et puis je suis né à Paris, j'ai vécu toute ma vie en France : la Hongrie, par conséquent...

S. — Et tu n'es jamais allé dans « la terre de tes ancêtres », comme on dit ?

G. — Jamais, et en plus, c'est un coin qui ne m'attire pas. D'abord, je suis peu sensible à l'élément « Patrie-Origine-Voix du Sang », et ensuite je ne suis pas spécialement touriste. Enfin, il y a des bleds qui m'attireraient davantage que l'Europe centrale.

S. — Est-ce que tes parents conservaient les coutumes, les traditions de là-bas ?

G. — Pour eux, il n'y avait pas spécialement de traditions hongroises ; il y avait plutôt des traditions juives, mais ils ne les suivaient pas tellement. Ils n'étaient pas ce qu'on appelle des « pratiquants », du moins pas plus que la moyenne des Français qui ne vont pas toujours à la messe, le dimanche, mais qui font quand même leur première communion. C'est le même style : croyants, mais s'en foutant un peu, quoi ! En fait, j'ai vécu dans une atmosphère essentiellement française, et même parisienne. D'où, cette très imperceptible pointe d'accent qui confère à mon langage ce charme dont la renommée n'est plus à faire...

S. — En 1939, tu avais cinq ans. Que s'est-il passé, alors ?

G. — Mon père s'est engagé comme troufion dans l'armée française. Pas très longtemps puisque, deux ou trois mois après, il y a eu l'armistice de Pétain, et qu'il est revenu faire ma sœur, Liliane, laquelle est née en juillet 1940. Mais il est reparti en 42, en déportation cette fois, et il n'est plus jamais revenu.

S. — Comment cela s'est-il passé ?

G. — Par le procédé habituel des rafles. Dans un premier temps, les juifs portèrent l'étoile, et ensuite, il y eut tous les jours des rafles effectuées par la police, selon des listes établies par la Milice et la Gestapo. Car on était fichés, tu sais : les juifs portaient sur leur carte d'identité le tampon « juif », et la fameuse étoile jaune cousue sur les vêtements.

S. — Cette étoile, tu l'as portée ?

G. — Bien sûr.

S. — Comment se fait-il que ton père seul ait été arrêté ?

G. — Pour commencer, on n'a arrêté que les chefs de famille. C'était le programme. Les flics rappliquaient dans des cars, ils embarquaient les mecs et les expédiaient à Drancy ou à Pithiviers, dans des camps de passage d'où on les envoyait en Allemagne. L'étoile, on l'a tous portée. Et je voulais faire un truc marrant là-dessus dans *La coulpe* [1], mais je me suis dégonflé parce que ça faisait vraiment trop pleurnichard. J'ai juste gardé le thème dans la première page. Et il y a un fait que je me rappelle parfaitement, c'est qu'à l'école, les copains parlaient sans cesse des juifs, de l'étoile, etc., d'une manière assez péjorative, puisqu'ils entendaient leurs parents en parler ainsi. Moi, je ne savais pas du tout ce que c'était : je devais avoir autour de huit ans et je m'étais mis dans la tête que les juifs étaient des emmerdeurs à qui on collait l'étoile jaune et qu'on embarquait pour les punir. Or, un soir, lorsque je suis rentré chez moi, ma mère m'a cousu l'étoile. Merde ! tous ces mecs n'étaient pas des gens « bien », j'en étais, j'en faisais partie ! Ça a été une assez jolie surprise. Je voulais rendre ça dans *La coulpe* par l'image d'une mère clouant avec un clou l'étoile sur la poitrine d'un gosse de huit ans, mais j'ai trouvé que c'était trop dramatique. D'ailleurs, cette histoire était au départ extrêmement dramatique et j'ai tenté de tout désamorcer au fur et à mesure de sa réalisation. C'est pourquoi elle est un peu bâtarde... Quelque temps après le départ de mon père, en pleine nuit, alors qu'on était tous les trois, ma mère, ma sœur et moi, on entend frapper à la porte. Ma mère ne voulait pas nous ouvrir, et j'ai gueulé qu'il fallait y aller. Elle est donc allée ouvrir : c'était un flic, un brigadier qui habitait dans la même maison que nous, rue Ramey, dans le XVIIIe (où ma mère vit toujours), et qui nous a dit : « Barrez-vous en vitesse parce que vous êtes sur la liste : c'est pour cette nuit ! » Ni une, ni deux, on

1. L'ECHO DES SAVANES n° 3 (1973).

a pris quelques fringues et on est allés se réfugier, trois portes plus loin sur le même palier, chez une voisine qui nous a cachés pour la nuit. Et en effet, une heure après, on a entendu les flics cogner à notre porte et crier : « Ouvrez, au nom de la loi ! » Puis ils sont partis, et le lendemain matin, on a trouvé les scellés sur la porte. Alors ma mère a cassé les scellés, elle a pris encore deux ou trois sacs et elle nous a conduits, ma sœur et moi, à un organisme qui s'occupait de placer à la campagne les enfants juifs : c'était rue Lamarck, dans un centre organisé par les juifs, où les mômes attendaient que des familles viennent les chercher. C'était la première fois que je me retrouvais seul, coupé de mes parents, et j'ai passé des nuits asez pénibles ! Puis un beau jour, on est venu me chercher pour aller chez une famille Martin, à Vigneux, près de Villeneuve-Saint-Georges. Trois jours après mon départ, les chleuhs faisaient une descente rue Lamarck et embarquaient tout le monde !...

S. — Es-tu resté longtemps à Vigneux ?

G. — Je n'en sais plus rien. Tout ce que je sais, c'est que ma mère nous a transférés ailleurs, avec l'aide d'une organisation catholique.

S. — Que faisait ta mère pendant ce temps-là, sans mari et sans enfants ?

G. — Elle avait dû se mettre à bosser pour trouver un peu de fric et survivre : elle a travaillé comme bonne dans quelques maisons. Et puis elle est allée trouver des bonnes sœurs qui ont cherché un autre endroit pour nous planquer, ma sœur et moi (Liliane devait avoir quatre ans, et moi, dix). Et on s'est retrouvés en Eure-et-Loir, à Rueil-la-Gadelière, dans une espèce de ferme appartenant à une famille Coudray. Là, j'ai quand même été vachement déphasé. En plus, les gens qui nous gardaient et qui faisaient ça pour le pognon étaient profondément antisémites, et ils nous le faisaient bien sentir. Quand il y a eu le débarque-

3. L'orchestre de Spikes Jones vu par Gotlib en 1950

ment allié, ils sont venus m'annoncer que je n'allais plus faire long feu chez eux : « Ta mère va pas tarder à rappliquer : les Américains ont débarqué ! » On aurait dit que ça les faisait chier ! Et puis j'ai appris par la suite que ma mère s'était décarcassée pour m'envoyer quelques colis : des crayons de couleur, du papier (elle savait que j'aimais bien dessiner), du chocolat et autres trucs rarissimes, dégottés au marché noir... Eh bien ! ces paquets, je n'en ai jamais vu la couleur. Les Coudray les fauchaient au passage.

S. — N'est-ce pas là que se situe l'épisode de la chèvre, raconté dans *Chanson aigre-douce* [1] ?

G. — Exact : c'est un épisode totalement vécu. J'allais garder cette chèvre et tout ce que je raconte est authentique, même l'incident de la chèvre qui s'enroule autour du poteau télégraphique. J'ai censuré pas de mal de choses parce que ça aurait paru invraisemblable, mais la réalité a dépassé la fiction j'étais tellement en colère après cette chèvre qui était complètement con et s'enroulait autour du poteau que je la mordais, je la mordais au dos et à l'échine ! Et puis même, je lui filais des coups avec un pieu en fer.

S. — C'est ignoble !

G. — Bah ! j'étais môme, tu sais, j'avais dix ou onze ans et j'étais réellement en colère. C'est là que j'ai assisté à la Libération. On a vu défiler un convoi américain pendant trois jours et trois nuits. Certains se sont arrêtés pour camper dans le terrain à côté de chez nous et notre boulot à nous, mômes du patelin, fut d'aller leur filer des légumes et des fruits frais. En échange, les Ricains nous ont donné des boîtes de conserve — ce qui était pour nous fabuleux —, des bonbons, du chewing-gum, tout ce dont on avait été privés. J'ai rapporté ces trésors aux Coudray, qui les ont stockés et ne m'en ont pas donné ! Alors j'ai eu le sentiment d'une profonde injustice et je me suis mis à en piquer : après tout, c'est moi qui étais allé chercher tout ça, j'avais quand même le droit d'y goûter ! Et les Coudray se sont aperçus que j'avais volé ; j'ai reçu une avoine terrible !... En Eure-et-Loir, il y avait eu des bombardements. Un jour que je gardais la chèvre, j'ai assisté à un combat aérien à une centaine de mètres au-dessus de ma tête, sans penser une seconde que j'aurais pu récolter un pruneau ! Et pour arriver à notre bled, il fallait descendre à la gare de Verneuil-sur-Avre, faire cinq kilomètres à pied et traverser un pont bombardé dont il ne restait que quelques planches surplombant un précipice de dix mètres : ma mère a fait tout ça, un beau jour, pour venir nous chercher. Nous étions plusieurs gosses juifs dans ce genre de ferme, dont un petit garçon brun du même âge que moi. Lorsque ma mère est arrivée dans la cour, apercevant ce petit gars qui me ressemblait vaguement et le prenant pour moi, elle s'est jetée sur lui et l'a serré dans ses bras ! Alors, elle est restée deux jours pour se reposer et nous sommes retournés à Paris.

S. — Saviez-vous alors que ton père était mort en déportation ?

4. *L'un des tout premiers gags de Gotlib (1953 ?)*

G. — Non, et on ne l'a jamais vraiment su, on n'a jamais eu de preuves de sa mort. Mais je dois avouer que, ma sœur et moi, ça ne nous tracassait pas beaucoup : je l'ai connu huit ans, et si tu retires les premières années, dont je ne peux pas me souvenir, il n'en reste vraiment pas lourd. Donc, ma mère a séjourné deux jours à Rueil, dont un passé à faire des courses dans toutes les fermes alentour. Je me rappelle qu'elle est revenue avec une douzaine d'œufs dans un panier à salade. Le lendemain, je ne sais plus à quel propos, elle s'est engueulée avec les Coudray. Et le type a jeté toutes nos fringues dans la cour en criant : « Barrez-vous ! Foutez le camp, sales juifs ! », et il a pris le panier à salade avec les œufs, et vlan... L'omelette !... Puis nous sommes retournés à Paris et j'y suis resté deux ans.

S. — Allais-tu à l'école, alors ?

G. — Dès mon retour à Paris, je suis allé à l'école de la rue Ferdinand-Flocon (en face de chez le dessinateur Jean Tabary).

S. — Et de quoi viviez-vous ?

G. — Ma mère bossait toujours. Elle était devenue couturière à domicile. Je me rappelle un fait notable : pendant notre absence, les chleuhs avaient saisi tout le mobilier et on a repris possession d'un appartement vide. Et ma mère s'est dirigée vers la cheminée — une cheminée style 1920 —, elle a soulevé la plaque de marbre et elle a récupéré trois billets de mille qu'elle avait planqués avant les « exactious » [1] !

S. — Mais avant ça, comment viviez-vous ? Ton père gagnait-il bien sa vie ?

G. — C'était une famille d'ouvriers moyens et on ne vivait pas mal. Mon père bossait bien, il avait les « congés payés » puisque le Front populaire, après 1936, les avait institués : ils ont dû faire les premiers « congés payés », mes parents.

---

1. « R.A.B. », PILOTE n° 525 (1969) et album n° 2. Voir illustration n° 39.

1. Dit avec l'accent juif.

S. — Bon, vous êtes revenus à Paris, la guerre est terminée : que fais-tu ? Je suppose que tu as fini par récupérer des crayons : dessines-tu déjà ?

G. — Ni plus ni moins que les autres mômes du même âge. Tu sais, tous les gosses aiment dessiner et ils sont tous doués pour le dessin. Mais il est vrai que je commençais à entendre ma mère déclarer : « Ah ! mon fils, il dessine bien. » A l'école aussi, je commençais à entendre : « Ah ! Gotlieb, il dessine bien. » C'est alors que j'ai décidé de faire du dessin animé, parce que je venais de découvrir Walt Disney, ses dessins animés surtout : quand j'ai vu *Pinocchio*, tu ne peux pas savoir ce que ça m'a fait ! J'ai chialé en regardant le film et j'en ai appris par cœur toutes les chansons. En 1947, comme ma mère n'avait pas tellement de fric, elle nous a envoyés en vacances dans un home d'enfants orphelins juifs hongrois, spécifiquement (ça existe !), à Vernouillet-Verneuil, dans la banlieue parisienne. Il y avait d'ailleurs là beaucoup d'enfants qui venaient de Hongrie, et c'était financé par les juifs hongrois de Paris. Tu sais que les juifs hongrois se démerdent toujours mieux que les autres juifs ? Il y a la devinette : « Qu'est-ce qui différencie un juif hongrois des autres juifs ? Eh bien, dans une porte tournante, le juif hongrois entre derrière toi mais il ressort en te précédant ! »... Bref, je suis parti à Vernouillet-Verneuil et j'y ai passé trois années absolument merveilleuses !

S. — Mais alors, c'étaient de très grandes vacances ?

G. — On était parti pour des vacances. Ma sœur est restée un mois mais j'y ai passé trois ans. Pour ma mère, seule et sans argent, c'était plus pratique. Et j'ai passé là les trois plus belles années de ma vie... J'allais à l'école du village, où j'ai passé en 1948 mon certificat d'études (reçu cinquième du canton avec un prix de 500 F anciens !) Puis je suis allé au cours complémentaire de Poissy et ça m'a obligé à faire la navette en train. Mais Verneuil, c'est un merveilleux souvenir. J'y suis arrivé à treize ans, j'en suis reparti à seize. J'ai passé là mon adolescence, ma puberté. Et comme c'était mixte et qu'il y avait des petites nénettes, on a eu plein de romans d'amour ! Il y avait un grand parc dans lequel on a vécu ces romans d'une façon extraordinaire... Je me souviens parfaitement de Clara, mon premier amour, mon grand amour d'alors : j'avais quatorze ans, elle en avait onze, et des nattes. Son père était resté en Hongrie. Plus tard, durant un camp de vacances à Cabourg, en 1950, où nous étions, Clara et moi, avec les autres mômes de Verneuil, elle a appris sa mort. Il avait été descendu à la frontière hongroise par les Vopos. Pour en revenir à ce home d'enfants, j'y ai donc passé mon « âge difficile » dans les meilleures conditions parce que le cadre s'y prêtait, et tout ce que l'on a en soi y trouvait du répondant. Je suppose qu'un môme de treize ou quatorze ans habitant Belleville, dans la merde, vit ce moment plus difficilement, alors que, là-bas, on l'a vécu d'une façon chouette. Et on ne nous emmerdait pas trop. Evidemment, on ne nous aurait pas laissé baiser, mais de toute manière on ne pensait pas à ça : on se baladait, main dans la main, dans le parc. En 49, je suis allé passer un mois en Angleterre et on a été séparés, Clara et moi. Alors on s'écrivait des lettres où on mettait « je t'aime » en acrostiche ! Un dimanche, alors qu'on se promenait dans le parc, main dans la main, devant tout le monde, d'une façon vachement gentille, le directeur m'a appelé et m'a dit : « Ce n'est pas un lieu de villégiature, ici ! » Et je suis allé chialer dans ma chambre, vexé et très outragé : on avait rabaissé ce truc vachement beau, c'était dégueulasse ! Mais j'ai pris ma revanche... Un jour, Clara a marché sur un râteau : au lieu de lui rebondir dans la gueule, le râteau s'est planté dans son pied. Il n'y a que dans les bandes dessinées que les râteaux rebon-

5. Dessin d'Alexis

dissent dans la gueule des gens qui marchent dessus [1] ! Mais la blessure s'est infectée et Clara a failli y rester. On l'a transportée à l'hôpital de Poissy, elle a eu énormément de fièvre et s'est mise à délirer. Et,

1. Les personnages de B.D. se plantent aussi des râteaux dans le pied, tel Achille Talon, dans l'album n° 8, **Achille Talon méprise l'obstacle** (Dargaud, 1973).

dans son délire, elle me réclamait. Le directeur m'a convoqué pour me dire : « Il faut que tu ailles voir Clara, elle te demande. » Et c'était formidable : j'y suis allé à vélo, heureux comme un roi parce que Clara me réclamait dans son délire et que le directeur m'avait dit d'aller la rejoindre ! D'où : déculpabilisation totale... C'est là que j'ai eu mon époque mystique, à cause de Clara. On nous donnait des rudiments de culture et, surtout, de religion juive : les rites, les prières, etc. Bien sûr, on s'en foutait complètement.

S. — Quelle que soit leur religion, ces gens-là savent toujours faire chier leur monde, surtout quand il s'agit d' « éduquer » la jeunesse !

G. — Bien sûr, tu parles ! Mais brusquement, je me suis mis à prier tous les soirs pour que Clara guérisse et à y croire terrible. Ce fut bref, d'ailleurs, et ça ne m'a plus jamais repris... A côté de cette puberté bien vécue, j'ai connu là-bas un tas d'autres choses que le commun des enfants de treize ans n'apprend pas à Paris : j'ai commencé par exemple à jouer aux échecs (mal, d'ailleurs), à écouter et à apprécier la « grande » musique... Quand je suis revenu de Verneuil, je n'étais plus tout à fait le même gars qu'auparavant. Avant, j'étais le vrai titi parisien qui va au square jouer aux billes avec les copains, etc.

S. — Et tu es revenu à Paris. Tu ne dessinais toujours pas ?

G. — Je continuais à dessiner à l'école pour illustrer des rédactions ou des récitations dans mes cahiers, mais c'est tout. Il faut le dire, sur le plan professionnel, c'est venu très lentement, puisque j'ai commencé dans la B.D. à vingt-huit ans seulement. A Paris, je suis retourné encore un an à l'école, en troisième pour avoir mon brevet. Et il a fallu que je me mette à bosser, vu que je n'avais pas de fric. Alors, après le brevet, quand j'ai eu dix-sept ans, on est allé aux « Pupilles de la Nation » qui avaient des emplois réservés.

S. — Entre-temps, donc, vous aviez eu confirmation de la disparition de ton père ?

G. — Sa mort n'a jamais été confirmée, mais il a été porté disparu. Un acte de disparition a été établi, selon lequel mon père était entré à Buchenwald et n'en était pas sorti. Tu sais, il y a beaucoup de gens comme ça, qui n'ont jamais su ce qu'étaient devenus les membres de leur famille : tous ces charniers qu'on a découverts, on ne sait pas ce qu'il y avait dedans.

S. — Et tu étais « pupille de la Nation » ?

G. — Oui. En tant que « pupille », on m'a dégotté une place de manutentionnaire à l'O.C.P., l'Office commercial pharmaceutique. Puis j'ai gravi les échelons et je suis entré dans les bureaux, où je suis resté trois ans. En même temps, j'ai commencé à prendre des cours de dessin publicitaire avec Georges Pichard, et j'ai fait du théâtre amateur dans le cadre des scouts.

S. — Car tu étais scout ?

G. — Pas vraiment. Pour des raisons qui m'échappent, il fallait adhérer à la Fédération des Eclaireurs de France pour faire partie de cette troupe. Mais c'était symbolique : je n'ai jamais porté l'uniforme et je n'ai jamais, au grand jamais, fait de scoutisme ! J'ai horreur de ça. On a monté deux pièces. L'une, dans laquelle je jouais : *Les trois mousquetaires, ou On demande un quatrième*, une adaptation comique du roman de Dumas où j'interprétais Aramis (oui, monsieur !) ; l'autre, *Georges et Margaret*, de Marc-Gilbert Sauvajon, où je ne jouais pas mais dont j'ai fait la mise en scène (oui, monsieur !). J'ai d'ailleurs conservé le carnet dans lequel j'avais préparé ma mise en scène. Mais il faut le dire, je n'avais pas l'étoffe d'un bon metteur en scène. On était une douzaine dans cette troupe et on a tous été engagés en bloc pour figurer au festival des Arènes de Lutèce, en 1953. C'est ainsi que j'ai fait de la figuration dans *Horace*, dans *L'Homme qui monta au ciel*, de je ne sais plus qui, et dans *La Passion de Notre Seigneur Jésus-Christ*, d'Arnoul Gréban, la seule, la vraie *Passion*, dans laquelle je faisais un tas de trucs : je faisais « les poissons » (car on commençait à la Genèse) et je faisais « la foule »... Ce festival a été un fiasco terrible et il a flotté sans arrêt !

S. — Ce fut la fin d'une carrière qui aurait pu être brillante !... Et le dessin publicitaire ?

G. — J'étais déçu de ne pas pouvoir faire du dessin car je travaillais et ne pouvais m'y consacrer, faute de fric. Comme palliatif, j'ai commencé par aller aux Arts et Métiers, en architecture : j'ai suivi trois cours, je n'ai rien pigé et je me suis rendu compte que je m'étais gourré... Architecture, tu vois, c'est pour être architecte ! Alors un des copains de la troupe (celui qui jouait Buckingham), Serge Clément — maintenant affichiste sous le nom de Clément-Desprès — m'a dit de voir aux Arts appliqués (là où, plus tard, sont allés Giraud et Mézières, mais à temps complet, eux). Je me suis renseigné : il y avait des cours du soir de n'importe quoi. J'ai donc suivi les cours de publicité, où on était une quinzaine.

S. — Pourquoi précisément publicité ?

G. — Parce que ça se rapprochait, plus que les autres sections, de ce que j'aimais faire, dans la fantaisie, la recherche. Notre professeur était Pichard, qui n'était pas encore un dessinateur connu. Il devait faire déjà des trucs dans LA VEILLÉE DES CHAUMIÈRES et dans V MAGAZINE, mais c'est tout. Je me souviens que j'étais très heureux à ses cours : d'abord, je dessinais, et ensuite, je dessinais « officiellement », non plus pour les amis et parents qui trouvaient toujours tout bien, mais sous le regard impartial d'un professionnel. Et il ne donnait pas des cours magistraux, chose peu courante aux alentours de 52 : on était disposés autour de lui et on discutait, chacun regardait les travaux de chacun et lui, il les commentait. Pour moi, ça ne marchait pas si mal, Pichard avait bien accueilli mes essais, deux ou trois fois. Il faut dire qu'il enseignait très bien, cherchant à sortir le positif de chacun de ses élèves. Il était tombé sur des dessins que j'avais faits pour m'amuser (moi, j'étais honteux, surtout devant les autres !), et il ne les avait pas trouvés mauvais. Alors j'étais vachement heureux ! J'arrivais à l'O.C.P., dans ce bureau où je m'emmerdais à faire des factures, j'y arrivais avec un carton à dessin : tu penses si j'étais fier ! Pendant cette période-là, j'avais un copain dans la troupe théâtrale dont le père était le dessinateur Loys Pétillot. J'allais de temps en temps chez lui, je montrais mes dessins

à son père et je le regardais faire ses bandes (il fai-sait alors, pour LE PÈLERIN, une vie de Jésus en B.D.). Je me souviens qu'on répétait parfois nos pièces chez Pétillot. Et celui-ci avait un ami avec lequel il avait été prisonnier pendant la guerre. C'est cet ami qui était l'auteur de l'adaptation des *Trois Mousquetaires* qu'on avait jouée, adaptation précédem-ment créée en stalag. Ce gars s'appelait Pierre Fallot

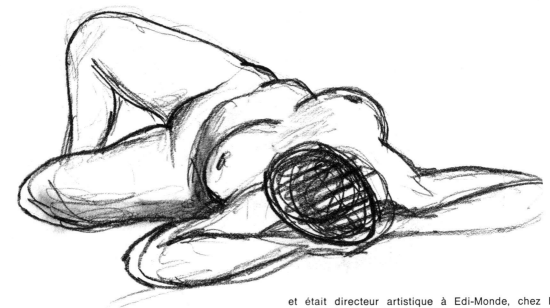

7. à 10. *Etudes pour les cours de G. Pichard (1953 ?)*

et était directeur artistique à Edi-Monde, chez Paul Winkler, l'éditeur de MICKEY entre autres ; c'est d'ailleurs lui qui, dans ce canard, signait des billets « Onc' Léon ». Donc, un soir, vers 1954, alors qu'on répétait chez Pétillot, Pierre Fallot m'a dit que, là où il travaillait, on cherchait du personnel. En effet, Edi-Monde passait des petites annonces. Mais moi, j'ai été pistonné : Fallot m'a conduit au chef du personnel, à qui j'ai montré les devoirs que je faisais avec Pichard. Et c'est au vu de ces devoirs que j'ai été embauché à Edi-Monde. J'ai commencé par faire du lettrage, de la « petite lettre » pour l'agence Opera Mundi, c'est-à-dire qu'on me donnait des épreuves de planches américaines avec la traduction dactylographiée à part, et je devais remplacer sur ces épreuves le texte original par le texte français. On écrivait sur du papier légèrement transparent, puis on redessinait le ballon (s'il était trop petit, on l'agrandissait, et vice versa), on gouachait, bref, il y avait toute une cuisine à accomplir. C'est ce qu'on appelle le travail de « petite lettre ». Au début, j'écrivais très mal, tout tremblé, et je faisais des complexes, j'avais la trouille de ne pas être à la hauteur. Et puis ça a marché. Et on m'a confié également des titres c'est-à-dire de la « lettre dessinée » : titres d'articles pour MICKEY, CONFIDENCES, etc.

S. — C'est là ton premier contact avec la B.D. Mais je suppose que tu en avais déjà lu ?

G. — Disons que c'est mon premier contact avec le monde de la presse de B.D. J'en avais lu, bien sûr, mais pas des masses. En tout cas, suffisamment pour m'y intéresser beaucoup. Pendant la guerre, je lisais GAVROCHE, un canard où il y avait le dessinateur Erik. Après la guerre, j'ai lu VAILLANT, COQ HARDI et surtout OK, où j'avais remarqué « Arys Buck », la bande d'Albert Uderzo que je recopiais laborieusement ! J'étais fasciné par ce personnage tout en muscles, c'était terrible ! « Arys Buck » et Uderzo, ce furent deux de mes grandes découvertes. Et en même temps, j'ai lu les canards américains, reliés en albums : ROBINSON, HOPLA, MICKEY...

S. — A Edi-Monde, tu n'avais pas encore l'idée de faire de la B.D. ?

G. — Si, et j'en ai même fait une. J'ai eu l'audace de

demander une audience au patron, à Paul Winkler en personne, et de lui montrer cette bande, qui était effroyable ! Winkler m'a envoyé chez Gérald Gautier, son principal collaborateur. Celui-ci a lu ma bande très attentivement, en fumant. Il y avait un filet de salive qui coulait le long du tuyau de sa pipe et, arrivé au bout, ça faisait une goutte qui tombait sur la planche... Quand il a eu fini de lire (et de tacher ma planche), il m'a dit : « C'est très bon, ça ressemble un peu à '' Li'l Abner '' (appréciation inattendue, s'il en est !). Ne traitez avec personne : je garde ça ! » Je suis remonté vachement fébrile au studio où je bossais, au huitième étage.

S. — Cette bande, qu'est-ce que c'était ?

G. — Une série de planches amoureusement reliées et racontant l'histoire d'une espèce de troubadour appelé Gilou-à-la-plume-de-paon (que j'ai d'ailleurs repris dans VAILLANT, par la suite) [1]. Je faisais ça case par case et je collais mes cases sur une planche avec un texte qui était censément désopilant. Au bout de trois mois, n'ayant pas de nouvelles de Gautier, je suis allé dans son bureau, un jour à midi. J'ai fouillé partout, j'ai retrouvé ma bande et je l'ai reprise. Et on n'a plus jamais entendu parler de ça ! Si ça se trouve,

1. Nos 909, 915 et 920 (1962).

en ce moment, il est en train de chercher les planches...
En 55, je suis parti faire mon service militaire, pendant
vingt-sept mois, et j'en suis revenu en août 57, à
une époque où Edi-Monde était en plein remue-
ménage : ils voulaient créer un journal appelé NIMBUS,
et ils embauchaient tout plein de monde, entre autres,
un dessinateur qui devait être le directeur artistique
de ce futur canard : Peter Glay, alias Pierre Tabary,
le frère de Jean. Je lui ai montré mes dessins et ça
l'a intéressé. Seulement, NIMBUS a foiré (c'est devenu
LECTURES POUR TOUS), et Pierre Tabary s'est retrouvé dans un bureau, tout seul, avec la mission de
produire, de produire n'importe quoi, de produire dans
le vide, ce qui le démoralisait terriblement, parce que
c'est déprimant de bosser pour rien. Il a d'ailleurs fini
par démissionner et il s'est barré. Entre-temps, j'ai
fait la connaissance de Claudie, elle aussi engagée
pour le projet NIMBUS et qui travaillait avec moi dans
le studio du huitième étage. Naturellement, on a sympathisé très fortement et, quatre ans après, on était
marida...

S. — Claudie Liégeois... Parle-moi un peu d'elle.

G. — Claudie... « Née Liégeois », Claudine, dite Claudie... Eh bien ! c'est Claudie, quoi ! ma femme ou, si
tu préfères, ma compagne. Personnellement, je préfère ce mot-là. Tu sais, à un moment donné de la vie,
on se marie parce que c'est dans l'ordre des choses.
Ça fait partie des bornes qui jalonnent l'existence,
dont la première est le baptême, et la dernière, le
saint sacrement ou l'extrême-onction, je ne sais plus.
Certains s'accommodent fort bien de cette situation.
Après tout, au mieux, ça tourne au bout de quelques
années à des relations de « bon voisinage », la fin
du dialogue des deux partenaires. Dans cette notion
de couple au sens traditionnel du terme, il y a notamment un principe qui me paraît antibonheur, donc en
contradiction avec la notion même à laquelle il est
lié : c'est le fameux principe bateau et cliché des
« concessions ». On part du fait que les deux individus
qui se sont unis n'ont pas les mêmes goûts, les
mêmes façons de penser, etc., et tout ça est une
affaire entendue. Alors, pour y remédier, on a recours
aux « concessions ». Ça veut dire que chacun sacrifie
un petit peu de ce qu'il aime, de ce qui lui procure
du plaisir, du bonheur, pour ne pas heurter l'autre.
En même temps, chacun se force un petit peu à faire
des choses qui ne l'attirent pas tellement, qui lui sont
indifférentes, etc., également pour ne pas heurter
l'autre. Et quel est le résultat, au bout du compte ?
Aucun des deux éléments du couple n'est vraiment
totalement satisfait ! Si chacun s'acharnait au contraire à conserver, en plus de ce qui fait la vie à deux,
une partie de vie personnelle, peut-être que ça se
passerait autrement. Ne rien sacrifier de ce qui nous
tient à cœur pour faire une concession à l'autre, ça
n'a rien de bien monstrueux, après tout ! Il y a peut-être
des risques, bien sûr, mais on n'a rien sans rien. Et
puis faire qu'un couple ne devienne pas, au bout de
quelques années, deux momies qui se côtoient par
hasard, ça vaut le coup de courir quelques risques,
non ? Je crois que le mariage, en tant qu'institution,
est responsable de ça. Mais quand on l'a compris,
c'est comme pour le reste, le temps a passé : là
encore, il faut tâcher de se démerder pour renverser

la vapeur, pour rendre au couple sa « grâce » originelle, ou du moins essayer... Pour ma part, en tout cas,
Claudie a toujours été une sorte de complément :
elle est aussi équilibrée que je suis dépressif, aussi
optimiste que je suis pessimiste, aussi simple que je
suis compliqué. Ça n'a l'air de rien, mais je commence
seulement à me rendre compte à quel point ça a
toujours été important. Ce n'est pas la notion de
« couple » qui est en cause, c'est celle du mariage,
avec tout ce que ça représente d'insidieusement répressif pour les deux personnes au fur et à mesure que
le temps passe. Maintenant, ce que je dis, hein, c'est
une opinion personnelle.

S. — Oui, je sais, et tu la partages... Mais comment arrives-tu à concilier tout ça ?

G. — Ben, je te dis : on se débrouille. On se débrouille pour se garder disponibles l'un à l'autre, pour éviter de tomber dans la routine du quotidien. Et puis, de toute façon, c'est une des contradictions, une de plus, dans lesquelles on baigne tous autant qu'on est. Tu sais, on fait des campagnes anti-pollution à la télé, et la seconde d'après, il y a une publicité pour acheter des voitures, et puis la seconde d'après, on annonce qu'il y a eu tant de milliers de morts sur les routes de ce week-end... S'il fallait dresser la liste des

11 à 19. Dessins exécutés aux cours de Pichard (1953 ?)

contradictions dans lesquelles on baigne, il faudrait la Bibliothèque nationale ! Et jusqu'à l'ultime contradiction qui consiste à faire son possible pour mener à bien, du mieux qu'on peut, une vie dont on sait à l'avance (c'est peut-être la seule chose dont on soit sûr à cent pour cent) qu'elle est destinée à s'achever...
« Et notre hymen à tous les deux
était prévu depuis le jour de
ton baptême... », comme dit Sa Majesté la Mort à l'oncle Archibald de Brassens. Alors, hein ! une contradiction de plus ou de moins... Au diable l'avarice !

S. — Revenons à Edi-Monde et à tes débuts dans les livres pour enfants, vers 1959.

G. — Oui, c'est à ce moment-là que j'ai commencé à faire des albums à colorier, pendant l'heure du déjeuner. Une fois, j'ai pris huit jours de congé et, pendant huit jours, je me suis envoyé tous les éditeurs de Paris, mon carton à dessin sous le bras, tous les éditeurs, du plus grand au plus minable ! Et j'ai quand même décroché trois ou quatre petites commandes d'albums à colorier, de découpages, des illustrations. J'avais monté un truc avec Claudie : je faisais le crayonné, elle mettait ensuite la couleur, à la gouache, puis je revenais au pinceau noir pour faire les traits. Et on signait « Mar-Clau » (Marcel-Claudie). C'est ainsi qu'on a procédé, par exemple, pour une histoire publiée par la suite, mais la première qui fut réalisée : *Emery et le jouet magique* [1]. Mais on n'a pas travaillé très longtemps ensemble. Et j'ai continué de faire ces petits trucs — tout en restant chez Winkler — jusqu'en

1. Ed. Albon (3e trimestre 1960). III. 25.

1960-61. J'avais deux ou trois clients qui me commandaient du travail assez régulièrement. Pour les contes illustrés, j'écrivais moi-même le texte et j'avais réussi à placer des copains qui me faisaient aussi des textes complètement débiles, ce qui convenait parfaitement ! J'ai notamment collaboré avec une boîte appelée « Lito », qui existe toujours et qui est à Joinville maintenant... Autre événement, à mon retour du service, un très gros événement : la découverte de la revue MAD. Au studio et dans la maison, ils lisaient tous ça, ils s'en inspiraient vachement, c'était pour eux une espèce de Bible. Et ça m'a fait un effet incroyable ! Un beau jour, je me suis aperçu que je pourrais peut-être tenter de me lancer à fond dans le dessin, d'ailleurs un peu poussé au cul par Claudie, je dois l'avouer. Alors je me suis tiré, aux environs de 1959, et j'ai fait mes premières bandes pour la collection « Petit Faon » dans la piaule sous les toits où j'habitais à cette époque : des contes d'Andersen et Le Général Dourakine [1]... (Ill. 24).

S. — Ce sont tes premières bandes publiées. Les avais-tu faites seul ?

G. — Complètement seul, d'après des scénarios d'Andersen et de la comtesse de Ségur, née Rostopchine ! C'était une commande, et j'avais fait moi-même les adaptations. C'était d'ailleurs incroyable : je bossais dans cette piaule, pendant mes vacances, avec 40° à l'ombre ! Le soleil arrivait sur ma table, qui était sous la lucarne. Je tirais la table pour fuir le soleil, jusqu'au moment où je me retrouvais acculé au mur, ne pouvant plus reculer, inondé de soleil !

S. — Il aurait alors fallu avancer de nouveau... Donc, ce sont tes premières bandes publiées, mais pas les premières dessinées : il y a eu l'histoire donnée à Gautier et puis ces deux planches pastichant des bandes américaines et récemment parues dans LES CAHIERS DE LA BANDE DESSINÉE [2].

G. — Ces deux planches-là, je les ai faites sous le choc qui a suivi la découverte de MAD. A Edi-Monde, j'ai aussi réalisé quelques « Simplicons » qui sont restés inédits (ill. 22). Il s'agissait de jeux dessinés prévus pour NIMBUS. C'est Peter Glay qui devait les faire, sur des idées de Maurice Quayne, mais il était débordé et m'a passé le truc. J'en ai donc dessiné quelques-uns. C'était un jeu assez chouette, très ingénieux, et je me suis bien amusé à le faire. Mais c'est resté sans lendemain. J'ai d'ailleurs proposé ces « Simplicons » à HARA KIRI, lorsque le numéro 1 est paru... Je t'ai parlé de ma piaule surchauffée. Comme un con, alors

que j'étais passablement fauché, j'ai décidé de m'acheter un studio pour lequel j'ai emprunté à gauche et à droite.

S. — Mais tu vivais bien, quand même, déjà ?

G. — Evidemment, quand je me suis tiré d'Edi-Monde, j'ai gagné moins d'argent. De même que je gagnais moins à Edi-Monde qu'à l'O.C.P. Mais je faisais un tas de petites choses : ces bouquins dont je viens de te parler, des jeux, des crobards pour MICKEY, etc. Quand je suis parti d'Edi-Monde, je m'en souviens, une bonne femme m'a dit : « Ah ! vous vous installez à votre compte. Eh bien ! vous n'avez pas fini d'en passer, des nuits, à travailler ! » Je n'ai jamais passé une seule nuit à travailler, depuis, jamais ! Je me suis donc acheté un studio, et c'était effroyable parce qu'il y faisait aussi chaud que dans mon ancienne piaule : j'ai fait là, un été, les albums « Bob et Hoppy » [1] par une température de 40° ! Alors j'allais bosser à la cuisine, où il faisait meilleur (seulement 38° !), et c'est là que j'ai fait, complètement à poil devant le frigo, mes « Bob et Hoppy ». Il faisait tellement chaud que, le temps de tremper mon pinceau dans la gouache et d'arriver jusqu'au papier, le pinceau avait séché et je faisais des trous dans mes dessins !

S. — Là aussi, tu faisais tout, texte compris ?

G. — Oui, ou parfois, je donnais le texte à faire à des copains, en particulier à Jacques Djament [2] qui m'en a fait quelques-uns. De toute façon, je touchais un forfait et je me débrouillais avec. Pour Bob et Hoppy campeurs, j'ai reçu 125 000 francs anciens pour un mois de boulot !

S. — Claudie continuait de travailler à Edi-Monde ?

G. — Elle a continué jusqu'après notre mariage, un an après notre mariage, mais à la fin, elle n'y allait plus qu'à mi-temps. En juin 1962, on s'est mariés et on a encore déménagé : on avait trouvé un appartement à Asnières que j'ai refait et repeint tout seul, comme un grand. A ce moment-là, j'ai reçu la visite de Pierre Tabary, qui avait aussi quitté Winkler et faisait déjà ses bandes et dessins dans le style actuel, le style Peter Glay. Il était accompagné de son gros clebs, Hoppy, que j'ai utilisé dans « Bob et Hoppy », et il m'a conseillé d'aller voir du côté de VAILLANT, car on y cherchait des dessinateurs. C'est ainsi que je m'y suis pointé, carton sous le bras...

S. — Et ça, c'est une autre histoire, que nous raconterons plus tard, si le lecteur est sage !

psychanalautopsie de gotlib

Gotlib vient de se raconter en partie. C'est-à-dire que, prenant les choses à leur commencement, il a brièvement fait le récit de son enfance, de ses premiers souvenirs les plus marquants et de ses débuts dans la carrière de dessinateur, jusqu'au moment où il est entré au journal VAILLANT (aujourd'hui PIF). Cet embryon de confession — que viendront étayer les embryons suivants, selon l'ordre chronologique — me semble déjà capital pour qui veut regarder l'évolution d'une personnalité exceptionnelle, d'un auteur profondément original et d'un génie graphique dont l'éloge n'est

---

1. 2 vol. parus au 3e trimestre 1959. Voir en fin de volume, la bibliographie, pour plus de détails sur tous les livres dont on parle ici.
2. No 13 (1er trimestre 1971).

1. 2 vol. aux Ed. Lito (1961). III. 26.
2. Il s'agit du copain de la petite annonce **Brancion diététique,** de L'ECHO DES SAVANES.

20. *Planche inédite (1961 ?)*

plus à faire. Il est impossible de dissocier l'homme Gotlib du créateur Gotlib : celui-ci se nourrit de l'autre, celui-là prolonge le second, et vice versa, dans une bizarre imbrication vie-travail-psychisme-expression qui trouve peu d'équivalents dans le monde de la bande dessinée. Marcel Gotlib a choisi — sans le décider expressément — de se regarder vivre, il a pris sa personne comme champ d'expérimentation exclusif. En retour, Gotlib s'est engagé porte-parole de son « double » quotidien, il a mis son talent au service d'un seul individu qui est lui-même. Ce n'est certainement pas le premier exemple vivant d'un narcissisme artistique poussé aux extrêmes limites : la littérature universelle regorge de « messages » et de journaux intimes, d'autocontemplateurs et de mégalomanes, d'artistes écorchés vifs, d'œuvres vécues et de méditations introverties. L'histoire de l'art est surtout parsemée de créations sincères, les meilleures, bien entendu, les plus émouvantes. Mais il faut bien dire que dans le monde des « petits Mickey », ce monde d'évasion parfois simple et de raconteurs d'histoires à l'usage des (grands) enfants, il est inhabituel de se conjuguer ainsi à tous les temps de l'image, de se décliner au bout du crayon et du papier, il est tout à fait insolite de tremper systématiquement sa plume dans l'encre vive de son propre sang (dont le groupe est le même que le mien, je le rappelle).

Marcel Gotlib est à la recherche de lui-même, de son équilibre, de son « autonomie », pour reprendre une tournure qui lui est chère et qui reviendra souvent dans ces lignes. Il donne à la B.D. une dimension rarement atteinte, celle de l'œuvre d'auteur, au sens où la création est facteur de solidité personnelle, besoin de se retrouver face à soi-même, objet esthétique en même temps que nécessité vitale de l'individu. Gotlib tranche résolument sur l'ensemble de la profession en ce qu'il utilise le moyen d'expression jusqu'alors le plus éloigné de la réflexion intime, pour s'en servir comme d'un miroir : la bande dessinée lui permet de se regarder tel qu'en lui-même, de s'embellir ou de corriger l'irréversible. Les petits Mickey offrent d'habitude au lecteur la facilité de se projeter en des idéaux faciles à toucher, de rêver, de se détendre. Mais Gotlib bouscule la règle du jeu, contraignant son lecteur-confident à partager une quête égocentrique, à le juger parfois, à l'écouter chanter ses états d'âme.

Le principal ferment d'inspiration est pour lui l'angoisse, permanente et familière. Angoisse de ce qu'il n'a pas été, de ce qu'il voudrait être. Angoisse de tout et de rien. Au point de départ — l'entretien qui précède le suggère —, il y a un profond sentiment de culpabilité, une culpabilisation apprise durant son enfance et consolidée au fil des ans par une inguérissable instabilité psychologique. Le petit Marcel a su dès le début qu'il n'était pas tout à fait comme les autres. Et il a appris qu'il y avait un monde des adultes, terrible et dérisoire, un monde qu'il lui faudrait atteindre, dépasser, ou crever. Ce qu'il n'a pas encore vraiment réussi à faire. Replié sur lui-même, inquiet jusqu'à la moelle, paranoïaque un peu, mégalomane passablement, ayant des tendances à la névrose et à la dépression, mal dans sa peau et au contact des autres, il se « normalise » en créant. Et son œuvre est le fidèle reflet des « démons » qui le hantent : une œuvre bou-

leversante derrière le masque de l'ironie, méditative sous l'apparence du rire, psychanalytique à cent pour cent. Marcel éprouve le besoin de se raconter, d'exorciser par l'humour le plus virulent cet affrontement adulte-enfant qu'il ne parvient pas à résoudre. Il dit en dessins peu ordinaires les problèmes que lui pose sa situation de grand gosse immature, allant pour ce faire jusqu'au caprice et à la provocation. D'où son penchant superbe à la dérision, la scatologie, l'anarchie et la défonce irréfléchie. Et puis enfin, conséquence et

21. Dessin d'Harvey Kurtzman

complément de tout ça, Gotlib est un orphelin qui s'est cherché sans relâche le père qu'il n'a presque pas eu : père de compensation, dans la vie, père d'imagination, sur le papier. La quête de soi-même s'est doublée chez lui d'une quête inassouvie de l'amour, de la sécurité, de l'autorité, un pressant désir de se replier en fœtus au sein d'un cocon protecteur.

Voilà en gros quelques-uns des traits essentiels de l'homme et de l'œuvre. Et c'est à cela que je vais consacrer surtout les pages qui suivent.

L'homme à l'étoile jaune

Dans les westerns, ce sont les « bons » qui portent une étoile sur la poitrine, shérifs et redresseurs de torts, héros sans peur ni reproche arborant l'emblème de métal comme un attribut de surhomme. Mais dans les années 40, l'étoile jaune signifiait l'infamie : on la cousait au revers des vêtements pour désigner le juif, comme jadis le lépreux devait agiter une clochette pour s'annoncer de loin. La petite enfance de Marcel se résume à ceci : une étoile de « mauvais », la honte et l'obligation de se dissimuler, les brimades, une chèvre...

Quand vous lui dites qu'il a eu une enfance malheureuse, il vous répond que c'est inexact, qu'il n'a pas trop à se plaindre en comparaison du sort des autres. Il fait en toutes circonstances preuve d'une pudeur paradoxale, en principe contradictoire de son penchant à l'exhibitionnisme. Il se méfie du pathos et n'aime pas passer pour un pleurnichard. C'est vrai qu'il n'a pas souffert de la faim, il n'a pas été spécialement maltraité, ses parents n'étaient pas alcooliques, il n'a pas été abandonné à sa naissance sur les marches d'une église (ou d'une synagogue)... Il n'a vraisemblablement pas été « malheureux ». Il n'empêche que le fait d'être juif à une époque où ça n'était pas permis l'a forcément traumatisé, d'autant plus que ça l'a coupé de ses parents, situation en général inconfortable pour un môme de cinq ans. L'enfance de Gotlib fut « difficile », et il n'a pas cessé depuis de la raconter dans son œuvre. La souillure de l'étoile jaune, la moquerie ou l'hostilité de ses camarades de classe, la fuite continue devant la flicaille nazie, les privations sont autant d'événements qui ont entraîné l'angoisse, la culpabilisation, le déséquilibre. Je crois commencer à bien le connaître : Marcel est toujours dans la position de celui qui est pris en faute, qui s'excuse. Il y a dans son comportement quotidien une espèce d'infériorité latente, qui embrouille ses rapports avec autrui, l'amène à se poser des foules de questions généralement inutiles. Chacune de ses paroles, chacun de ses actes le met en état d'inquiétude, et c'est probablement une réaction de défense qui lui fait porter ce regard ironique sur tout et sur lui-même. Comme il n'est pas tout à fait idiot et qu'il est par ailleurs féru de psychanalyse, il a pleinement conscience de tout cela. D'où une réserve, à première vue assimilable à de la méfiance. D'où, proportionnel accroissement de l'embrouille dont je parle... Cela dit, la culture juive ne semble pas l'avoir imprégné. S'il n'en avait quelque peu souffert, étant gosse, il n'aurait sans doute jamais su qu'il était juif. La seule allusion, je crois, peut être visible à la première planche de *La coulpe*, puisque même *Chanson aigre-douce* ne mentionne aucun détail racial (unique point de référence, là-dedans : le nom de son logeur, Coudray). En revanche, on pourrait retrouver une trace de son atavisme dans la forme de son inspiration : c'est le fameux « humour juif » dont je parle plus loin.

Papa est parti acheter des allumettes

Non seulement Marcel découvre (à son grand dam) qu'il est un de ces sales juifs porteurs d'étoile, mais il conçoit aussi, un peu plus tard, qu'il n'a plus de père, que son père a été justement puni de faire partie de ces sales juifs porteurs d'étoile. Dans quelle mesure s'est-il senti responsable de la disparition paternelle ? C'est difficile à déceler. Peut-être faudrait-il plutôt se demander s'il n'a pas assumé la culpabilité collective — celle d'Ervin et la sienne — provoquée par les persécutions nazies. En quelque sorte, les Allemands auraient puni le père d'avoir été juif ; Marcel étant lui-même juif, fils de ce juif Ervin emmené par les défenseurs de la pureté, il aurait dû logiquement payer aussi. Ervin a réglé l'addition pour les deux, ce qui est une façon implicite de culpabiliser l'enfant... Mais en cette matière, on ne peut avancer que des suppositions.

Ce qui me paraît davantage certain, c'est que le sens de la culpabilité, pour Marcel, a été lié au sens de la responsabilité : les obligations qu'on a, si on ne **les**

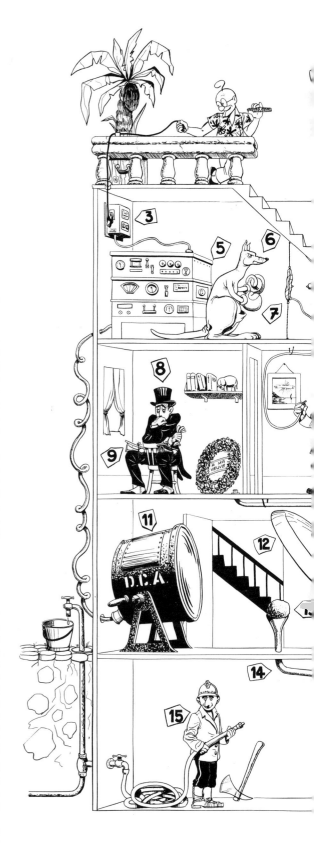

tient pas, on commet une faute. Comme il dit : « Ne pas oublier ses responsabilités, c'est ça le problème. Par rapport à tout, à la famille, aux gens et même aux choses les plus infimes : ne pas oublier de fermer le gaz, ça se transforme vite en angoisse ! » Il faut chercher très loin la crainte des responsabilités chez Gotlib. C'est un blocage survenu au cours de la petite enfance. Seul avec sa mère et sa petite sœur, il était à dix ans le « chef de famille », il avait à jouer le rôle du père que l'autre n'avait pu assumer. C'est sans

doute là qu'il faut trouver la source d'un autre thème gotlibien (oh !) : il recherche un père, mais en même temps il cherche à le détruire, à se libérer de lui. Vengeance rétroactive ? Pourquoi pas ? Après la guerre, lorsque la famille Gotlieb est revenue à Paris, Régine ne cessait de dire à son très jeune garçon : « Maintenant, c'est toi l'homme ici ! Tu remplaces ton père qui n'est pas là ! » Raison de plus pour avoir une dent contre ce fantôme déjà coupable d'être juif et d'avoir disparu ! Marcel parle ainsi de sa mère : « Il ne faut pas oublier qu'après la guerre, elle avait une quarantaine d'années. Ce n'était pas une vieille femme, elle aurait très bien pu recommencer une autre vie. Mais elle possédait cette particularité juive, héritée de parents très orthodoxes : la notion de fidélité éternelle... Elle a eu des occasions mais elle a bloqué ça et, comme elle devenait un peu paranoïaque, elle le retournait en agressivité contre ses prétendants. Il y avait notamment deux frangins de son âge qui venaient à la maison, et je suppose que l'un d'eux lui faisait du plat. Brusquement, elle s'est prise de haine contre ces deux types, alors que visiblement il n'y avait aucune raison à ça, et elle a passé des soirées à piquer des crises de paranoïa, chialant et me disant : " Tu vois, si tu étais un homme, tu irais leur casser la gueule ! " J'avais douze ans... Il y avait un autre homme, compagnon de déportation de mon père : au moment de se séparer, chacun partant pour son camp respectif, mon père à Buchenwald, et l'autre, disons, à Dachau, ils se sont donné rendez-vous chez nous pour après la libération. Lui est venu, comme prévu ; mon père n'y était pas. Et ce type a pris l'habitude de venir nous voir chaque semaine. Il avait perdu sa femme dans les camps et il était vachement gentil : il apportait des bonbons pour nous, des fleurs à ma

22 et 23. Un « simplicon » (1956-57) avec, en médaillon, un essai de modernisation du dessin pour HARA KIRI

- Monsieur le Comte nous a donné la liberté et nous cherchons des places. » La liberté hurlait-elle, et sans me le dire,

- mais c'est impossible, c'est moi qui suis votre maîtresse, je vais vous faire fouetter à mort. Elle tourna sa colère...

- ...contre les enfants à qui elle prodiguait des gifles et à qui elle tirait les oreilles. n'osant pas maltraiter les...

- ...domestiques de peur qu'ils ne la quittent. Enfin elle se rendit chez le capitaine Ispravnik, qui rendait la justice.

- Celui-ci la reçut et lui demanda le but de sa visite. C'est à vous que mon oncle a remis les papiers qui rendaient...

- ...la liberté à tous ses gens, comme le capitaine ne répondait pas, elle dit : « Je donnerai 50.000 roubles pour avoir...

- ...ces actes. » Celà est impossible lui répondit-il, 100.000 roubles dit-elle, celà est impossible et je vais faire

- un rapport au prince gouverneur sur l'offre déshonorante que vous me faites. Terrifiée elle cria : « Oh ! ne faites...

- ...pas celà c'est affreux, je vous donnerai ce que vous voudrez, pour ne pas faire celà » mais le capitaine Ispravnik

- se leva et, appelant des hommes, prêts à intervenir. « Elle a outragé l'autorité, emmenez-la et mettez-la dans le...

- ...salon privé et fouettez-la comme elle voulait fouetter ses gens », puis il la fit sortir, la remit dans sa voiture et...

- ...elle rentra à Gromiline se coucher. Elle resta prostrée plusieurs jours. Entendant un bruit extraordinaire

24. « *Le général Dourakine* » : *la première B. D. publiée de Gotlib (1959)*

mère, il jouait avec Liliane et moi... Un beau jour, je ne sais pas pourquoi, ma mère lui a demandé de ne plus revenir sous prétexte qu'elle attendait le retour de son mari, que les voisins allaient jaser, etc. Et ensuite, elle n'arrêtait pas de nous répéter que, si elle ne se remariait pas, c'était pour nous. »
Autant dire : « à cause de nous » ! Marcel raconte ça de sa voix de titi, avec un petit sourire gêné. Dès cette époque-là, donc, il se met en quête d'un papa, que ce soit pour se déculpabiliser, se rassurer, se réaliser ou se venger. Une grande partie de son œuvre relève de cette obsession, comme on le verra plus loin. Père artificiel du dessin ou père choisi — tout autant artificiel — dans les contacts humains, Gotlib demande quelqu'un pour le protéger, le border au lit, mais aussi pour pouvoir lui casser la gueule. En détruisant cette image du père (avant de détruire, il faut trouver), il s'imagine accéder plus vite à son autonomie, franchir la frontière qui sépare le monde des enfants de celui des adultes, les vrais adultes, ceux dont les contradictions sont résolues. Tout ce que je dis là, il le dit aussi. Accoutumé aux problèmes de la psychologie, il a pris conscience de son « cas », tout en sachant que la conscience n'est pas un remède. Il n'en est qu'au premier stade de la thérapie. « C'est très clair, affirme-t-il. Le fait de passer ma vie à chercher un père équivaut au fait de rechercher un abri. C'est donc encore l'impossibilité d'acquérir l'autonomie et l'indépendance. Tout ça est très clair. » Très clair, oui, mais ça ne suffit pas...

La famille d'Œdipe Gotlieb

L'histoire se complique. Car la mère joue aussi son rôle, la mère œdipienne, ou plutôt jocastienne, aux côtés du père hypothétique. A présent et surtout depuis L'ECHO DES SAVANES, Gotlib introduit la figure maternelle, femme-chair-tendresse dans ses bandes. Interaction père-mère, Gotlib-parents. Complexité des rapports. Là où ça devient fou, c'est que la ronde œdipienne n'est pas ici parfaite : il y manque un vrai père ! Celui-ci, on peut dire que, si sa recherche est liée à la culpabilité, c'est que sa présence eût empêché le blocage. D'autre part, cette recherche n'a pour objectif que d'effacer l'image obsédante. Gotlib appelle son papa pour mieux se libérer de lui. Et c'est normal, puisqu'il n'a pas eu dans la vie ce stade naturel à franchir. Il avoue volontiers son attirance de toujours pour un type morphologique bien précis : virilité, force, aisance, système pileux développé... Il est de tout temps captivé par les bonshommes moustachus. Cela explique en partie sa véritable passion pour Georges Brassens, passion qui confine à la dévotion filiale. Il sera souvent question ici de Brassens. Marcel et moi parlons en général beaucoup de lui. D'ailleurs, au cas où vous ne l'auriez pas remarqué, je vous signale que le bouquin est dédié au monsieur... Gotlib sait exactement le poids de Brassens sur son évolution, et j'en reparlerai plus tard. Quant à l'attrait des bacchantes, chez lui, on pourrait éventuellement le rattacher au fait que, jeune, Ervin était moustachu. Régine disait parfois à son fils : « Ton père ressemblait à Clark Gable. »

Citation gotlibienne : « La recherche constante du père peut être successive à ma culpabilisation. Je me suis senti coupable de son départ, donc, si j'en retrouve un, je ne serai plus coupable. Alors je cherche à le remplacer. Mais comme, d'un autre côté, je m'aperçois que le père est un frein à la libération, je tente systématiquement de l'effacer... Cette histoire de moustaches, elle est à peu près compréhensible quand il s'agit d'un adulte ; mais il m'est arrivé d'avoir des copains moustachus de mon âge, ou moins âgés que moi, et j'étais attiré vers eux plus fortement que vers les autres, même s'ils se révélaient moins intéressants sur le plan des rapports ! » Subtile observation de soi-même ! Mais n'oublions pas que Marcel s'intéresse de très près à tout ce qui concerne la psychanalyse. Je m'empresse d'ajouter qu'il ne faut trouver dans les propos qui précèdent nulle trace de tendance homosexuelle : Gotlib est l'un des êtres les plus amoureux des femmes qui soient ici-bas.

25. « *Emery et le jouet magique* » : *la première histoire dessinée par Mar-Clau (1960)*

Ce papa qu'il cherche à joindre et à supprimer, c'est l'Autorité suprême, Maître, Patron, Patriarche, Dieu, tout ce qui peut être identifié au « surmoi » de la psychiatrie, c'est-à-dire l'oppression et la répression, la sécurité et l'esclavage, la dépendance, l'obéissance, l'absence de responsabilité mais aussi de liberté. C'est lui qui, sous les traits d'Orson Welles (personnage cher à l'auteur, on le verra) est la vedette d'une « Rubrique à brac » parodiant *La décade prodigieuse*, de Chabrol [1]. C'est encore lui, mage inspiré d'une autre rubrique, exhortant un petit garçon à aller « toujours plus haut », et finissant dans la flotte [2]. C'est lui toujours, ce boueux magnifique qui monte au ciel

1. **Le Coin du cinéphile,** PILOTE, n° 634 (1971) et album n° 4.
2. **Méditez la leçon,** PILOTE, n° 497 (1969) et album n° 2. III. 40.

avec sa poubelle, au terme d'une troisième rubrique [1]. Ce père-là, noble et grand, Gotlib aime le bafouer, le gifler. Jusqu'au moment où il le poignardera pour de bon, il n'y a pas si longtemps, dans *Œdipus censorex* [2] ! (Retenez bien tous les titres dont je parle car j'aurai plus d'une fois l'occasion d'y revenir, mais je n'en donnerai plus les références). Il me relate une anecdote d'avant sa sixième année : il jouait avec d'autres mômes dans le passage Ramey, non loin de la rue Ramey, où il habitait, quand un dur se mit à l'asticoter et voulut lui casser la gueule. Alors, comme dit Marcel, « il y a eu une espèce d'éclair, au sens biblique du terme » : une montagne est arrivée, son père Ervin, qui passait par là. Il a chassé le méchant, il a pris le petit Marcel dans ses bras puissants et l'a emporté à la maison... Ce récit est à placer en parallèle de l'un des textes qui ont très fortement impressionné Gotlib (et dont il se souviendra par la suite, dans son œuvre) : le passage des *Misérables* où Cosette se trouve dans la forêt, portant un seau très lourd et pleurant, quand brusquement, une main gigantesque tombe du ciel. Et Cosette ne sent plus le poids du seau. Elle lève la tête et là — contre-plongée avec grand angulaire, style Orson Welles, musique forte —, elle voit son sauveur, Jean Valjean... Père secourable, père divin, envoyé du ciel, c'est ainsi qu'apparaît Bougret arrivant dans un déchaînement de lumière, sous le regard humide de l'enfant Charolles, dans certaines rubriques de PILOTE. Notons ici que ce papa formidable incarné par Jean Valjean dans la rêverie de Marcel, il est également déboulonné par L'ÉCHO DES SAVANES : dans la moiteur d'un petit bois en délire, Cosette désamorce à sa façon, à pleine bouche, la magie du sauveur [3] (ill. 75).

Tous les pères qu'il s'est trouvés, Gotlib les a foutus en l'air. Un vrai massacre ! Non content de ça, il s'est attaqué aux mères, pas tellement pour les tuer mais pour résorber en elles son complexe d'Œdipe. Dans son œuvre, il a souvent parlé de la mère, toujours avec tendresse et vénération. Il sait la complicité animale qui unit la génitrice et son rejeton, et il ne veut absolument pas y toucher. Organiquement, le double être mère-enfant est une nécessité ; ce qui lie l'un à l'autre dépasse le sentiment humain. Seulement, il arrive qu'on traîne toute sa vie ce « cordon infernal », remarquablement décrit par Claire Bretécher dans le numéro 4 de L'ECHO. Il arrive qu'on ne puisse s'enfuir des jupes maternelles. C'est contre ça que manifeste Gotlib : « En même temps que chez moi il y a une recherche du père probablement pathologique, j'ai l'impression que la plupart des gens continuent inconsciemment à chercher leur mère : c'est ce fameux Œdipe qui les empêche de vivre pleinement leur vie. Moi, je ne veux pas tuer la mère ; je veux simplement trouver un moyen symbolique de couper le cordon. Je me pose la question : comment faire ? Alors j'ai trouvé ce truc absolument bidon, le premier qui vient à l'esprit : faire l'amour avec sa mère. » Bidon ? Peut-être pas autant que ça, pour finir... Dans *Œdipus censorex*, avant de trucider papa, le censeur couche donc

avec maman, sous l'œil d'un clown-sphinx qui est un reflet de lui. Dans cette belle histoire, Gotlib reprend à son compte le mythe d'Œdipe, en l'adaptant à son problème. La différence majeure est, qu'avec la mère, il tente une rupture en effet symbolique, tandis qu'avec le père, plus rien n'est symbole : Marcel ressent organiquement le besoin d'effacer une hantise.

Quand il s'est marié, en 1962, il a probablement adopté une seconde maman : Claudie, épouse-compagne et femme maternelle. « Un des premiers actes après mon mariage a été de dire à Claudie qu'elle pouvait s'arrêter de travailler. Est-ce que je ne réalisais pas là, inconsciemment, ce que je n'avais pu réaliser à douze ans avec ma mère ? » Il faut remarquer que rarement Claudie est intervenue dans les bandes de Gotlib comme intervient l'image de son père ou comme est intervenue sa fille. De l'épouse, on trouve trace dans *La coulpe* et dans *Le musée,* une nouvelle publiée en

26. « Bob et Hoppy campeurs » (1961)

fin de volume. En revanche, lorsque est née Ariane, Marcel a inversé avec elle le rapport père-enfant dépeint jusqu'alors : sa fille est devenue pour lui synonyme d'apaisement, de sauvetage, son Jean Valjean femelle. En général, les mômes qu'il dessine ont le beau rôle, et j'en reparlerai. Mais Ariane a joué un court moment la part privilégiée de l'ange porteur de

1. **Le boueux de mon enfance,** PILOTE, no 465 (1968) et album no 1.
2. L'ECHO DES SAVANES, no 4 (3e trimestre 1973).
3. **Le Bois Huon,** L'ECHO, no 2 (3e trimestre 1972).

doux messages : sa venue au monde en 1969 a posé le baume sur les plaies vives du père. A ce moment-là est écrite *La boule,* nouvelle bien transparente où la fillette vient débarrasser l'auteur d'un boulet qu'il traîne au pied [1]. Le fil d'Ariane était une scie à métaux, le labyrinthe, une grosse boule d'angoisse, lourde et envahissante. A l'évidence, Marcel semblait guéri. Sa fille lui tenait lieu d'équilibre, de père retrouvé, de responsabilité créée, de béquilles morales et d'horizon nouveau. Mais voyez comme vont les choses : en 1972, dans la version dessinée de cette histoire [2], une fin nouvelle est ajoutée, selon laquelle la boule repousse ! Et Gotlib est redescendu sur terre après avoir plané trois mois...

Cherchez la femme

Ce qui précède fait dire à l'auteur qu'il y a deux grands moments dans sa vie : le premier, la naissance d'Ariane, le deuxième, quand il fait l'amour. Sensuel et glouton, il est voué au plaisir, à l'amour aussi car c'est un grand sentimental. Il faut dire qu'il peut s'estimer comblé avec Claudie, belle et tellement féminine. Cette vocation aux douces choses de la chair trouve bien entendu son prolongement fidèle dans L'ECHO DES SAVANES ; ce n'est ni dans VAILLANT, ni dans PILOTE qu'il faut chercher la manifestation directe de la sensualité de Marcel. Ni même dans « Hamster Jovial », au fond trop caricatural pour rendre compte des sentiments de l'auteur. Avec L'ECHO, pour la première fois en vingt ans de carrière, Gotlib peut proclamer à la face du monde que la jouissance est le fondement de notre vie !
Il trouve qu'il ne sait pas dessiner les femmes, infirmité imputable à sa formation même de dessinateur de presse enfantine. Il est vrai que la B.D. pour enfants, la B.D. traditionnelle ne s'est guère montrée apte à développer le sens des harmonies corporelles, ni celui de la volupté graphique. En fait de présences féminines, les petits Mickey ont trop souvent proposé l'alternative bidon : petite fille carrément asexuée ou mémère atroce, monstrueuse. L'exemple d'un Paul Cuvelier infiltrant depuis près de trente ans son fantastique érotisme à des récits en apparence « sages », cet exemple est évidemment rarissime. Gotlib se déclare donc techniquement refoulé, bloqué devant la représentation de jolies femmes. Ce n'est pas exact : la mère-amante d'*Œdipus censorex* correspond à merveille à l'idée exprimée. Si l'on ne peut dire d'elle qu'elle est « belle », on subit son charme trouble de femme mûre et maternelle, en même temps sensuelle et désirable : formes pleines, alourdies un peu, visage sur le point de se faner, émouvant, le sentiment devant cette créature est un peu identique à celui éprouvé devant la négresse redonneuse de virilité au protagoniste du *Satyricon* de Fellini. Toutes les deux sont des sources, des fontaines de vie. La profondeur de la Terre, la fertilité. La béatitude originelle... Mais en ce domaine, la meilleure réussite de Gotlib reste la chanteuse de *Proud Mary* [3]. Cette fille en chaleur, lointainement ins-

27. Dessin de Jacky Redon

pirée de Tina Turner — l'allusion du titre — traduit de façon prodigieuse le caractère sexuel à l'état premier, chimiquement pur. C'est une pile atomique, un orgasme ambulant. Quand on voit ça, on se dit en vérité qu'on aimerait être un micro...

Des histoires juives au rire gotlibérateur

Gotlib pense entrer partiellement dans la définition de l'humour juif, définition qu'il n'a d'ailleurs pu me donner et que nous allons tenter d'établir ici. Constatons pour commencer que l'humour juif est illustré par des personnes qui ont d'une manière ou d'une autre fortement marqué notre auteur, en lesquelles il s'est reconnu ou dont il a subi l'influence. On peut d'abord citer MAD et surtout Harvey Kurtzman, l'âme du journal, représentatifs de ce style d'humour ; Groucho Marx et ses frères, Chaplin, Jerry Lewis, Woody Allen, pour le cinéma ; Tristan Bernard et quelques autres écrivains ; Spike Jones et Frank Zappa, pour la musique. Tous pratiquent plus ou moins l'humour juif. Allen ou Spike Jones, par exemple, vont jusqu'à utiliser des expressions ou des mots purement yiddish, ce que, je crois, Marcel n'a pas encore fait. Son inspiration repose avant tout sur la dérision. C'est l'exorcisme d'une angoisse : il comporte un mélange détonant de cruauté joyeuse, de souriant désespoir et d'absurde très composé. Autant de caractères qui ne ressortissent pas forcément à l'humour juif mais qui peuvent aussi le définir...

Avant de vouloir absolument le faire, il faudrait peut-être se demander ce qu'est l'humour tout court. Je cède la parole à mon éminent confrère, le professeur Gotlieb : « On peut tenter de définir l'humour par rapport à l'esprit. La notion d'humour est quelque chose de vécu, alors que l'autre est un jeu. Je le dis toujours (et c'est presque une tarte à la crème), l'humour est pratiquement une morale, une éthique, une façon de vivre. Il y a

1. Parue dans LES CAHIERS DE LA BANDE DESSINEE, n° 13 (1971).
2. « R.A.B. », PILOTE, n° 647 (1972) et album n° 4. III. 41.
3. L'ECHO, n° 3 (1er trimestre 1973). III. 74.

a des hommes d'esprit qui sont extrêmement brillants et des humoristes qui ne le sont pas. Il n'empêche que ceux-ci expriment quelque chose de plus personnel, de plus profond. A la limite, l'humour pourrait être une remise en question de soi-même. Il exige en tout cas une espèce de complicité avec les gens qui le reçoivent : tout le monde peut comprendre un mot d'esprit mais tout le monde ne comprend pas forcément l'humour. » Cette complicité dont parle Gotlib peut aller très loin ou se limiter au minimum de gens. Il faut bien connaître quelqu'un pour apprécier à fond son humour. Ce que je dis là est peut-être excessif, mais convenez que la profondeur et la totalité d'un monde s'atteignent au bout d'une période plus ou moins longue d'acclimatation, de fréquentation. On pénètre dans l'humour d'un individu comme en son intimité. Il faut donc le pratiquer souvent cet individu, l'esprit ouvert, pour y parvenir. D'où l'utilité d'un livre comme celui-ci (je réponds par avance aux pissevinaigre qui en contesteront l'intérêt, car il s'en trouvera). En allant plus loin, admettons que l'humour puisse jouer en circuit fermé : c'est le private-joke, ce clin d'œil réservé à quelques confidents, c'est le sens aigu d'un dialogue entrepris parfois avec un unique interlocuteur (il en faut au moins un pour que l'humour existe). Ce sens, Gotlib le cultive. On le verra tout à l'heure à propos de VAILLANT, mais sachons que les petites annonces de L'ECHO DES SAVANES recèlent des messages codés manifestement destinés à une seule personne...

28. L'un des premiers livres de Gotlib (1961)

Cela dit, venons-en à notre définition de l'humour juif (l'humour israélite, pour parler comme les complexés du racisme). A la base, il y a une forte dose d'absurde à la fois très complexe et très naïf, évident et simple d'apparence mais terriblement élaboré, avec des prolongements parodiques et autoparodiques certains. Il est bien connu que les juifs n'aiment pas qu'on se moque d'eux, mais « il se servent eux-mêmes avec assez de verve », ils se racontent facilement des histoires juives. En outre, l'humour juif semble avant tout verbal, moins fondé sur la situation que sur l'interprétation de celle-ci : c'est une forme de langage et de réflexion appuyée sur une logique interne rigoureuse et tout à fait illogique. Par exemple, Groucho Marx, montre en main, prenant le pouls de quelqu'un et se demandant gravement : « Ou cet homme est mort, ou ma montre est arrêtée ! » Si l'on veut décortiquer ce gag complètement dément, on s'aperçoit qu'il échappe à l'analyse rationnelle car tout en lui est truqué, concordance parlée des casse-tête graphiques de Cornélius Escher. Absurde, donc, mais logiquement articulé. Gotlib s'apparente à ce courant par l'importance qu'il accorde au Verbe, les rapports divers du mot et de l'image, par son langage construit, ses commentaires insolites, ses facéties littéraires, une écriture sur laquelle j'aurai l'occasion de revenir. Il s'y apparente encore par sa propension à l'auto-caricature, la parodie de la parodie, la B.D. dans la B.D. Au départ, chez lui, tout est parodie : contes de fées, cinéma, vie quotidienne, etc. Chacun de ses thèmes est une charge. Mais il lui arrive fréquemment, et de plus en plus, de se remettre lui-même en question, de se moquer de son métier dans ses bandes. Principalement depuis la « Rubrique à brac », il ne cesse de tourner en dérision les clichés du genre, les traditions. Souvent même, il se peint, Gotlib, dessinateur en pleine action. Ressort de l'humour juif ? C'est Jerry Lewis exécutant avec génie ses prouesses à tiroir, faisant un film dans son film, se regardant filmer, ou Zappa démontant les mécanismes de la musique par des collages, des imitations, des clins d'œil gros comme ça au public. Il y avait un peu de ce jeu chez les Beatles aussi, et John et Ringo sont juifs. Pour en revenir à Marcel, le vieil ami de ses débuts, Jean Tabary me disait de lui : « Pendant toute la période où il a travaillé à VAILLANT, il a fait ses classes de dessinateur, il a méthodiquement appris la technique de la B.D. De même avec Goscinny dans " Les Dingodossiers ". Et depuis, tout ce qu'il fait, c'est de remettre en cause cette technique qu'il possède parfaitement, c'est de jouer avec elle sur tous les tons. » Quant à l'absurde, s'il n'est pas spécifiquement juif — Mandryka ou Fred font de l'absurde dans un tout autre registre —, il est la composante première des histoires de Gotlib : un absurde tragi-comique, un délire fait de lucidité et de spontanéité contrôlé. Il y a bien entendu la fameuse rubrique intitulée *L'absurbe* (avec un b), plutôt une paraphrase ironique sur ce thème [1] ; il y a aussi *Continuons sur la lancée* [2], fabuleuse variation sur le Petit Poucet où la montée de la folie est extraordinairement menée. Il y a toute la série animalière avec le professeur Burp, par exemple *La girafe* [3], où la démence est

1. « R.A.B. », PILOTE, n° 585 (1971) et album n° 4.
2. Id., n° 526 (1969) et album n° 2. III. 44.
3. Id., n° 523 (1969) et album n° 2.

Bientôt arrivent à leur tour la Marmotte, le Grand Duc, les oiseaux, la Couleuvre, le Flamand Rose, Le Lézard et enfin la Tortue et l'Escargot tout essoufflés.

Tous sont heureux et attendent.

Soudain. . .

hypersophistiquée ; il y a les pages sur *Le nô japonais* [1], et il y a comme ça des centaines d'autres témoignages précis. Pratiquement tout, chez Gotlib, se résume à ce petit mot : dingue !

Enfin, à ce qu'il semble, l'humour juif se signale par une tendance à la fausse sensiblerie, l'anecdote larmoyante mais culbutée par un gag : c'est Chaplin dans presque tous ses films, alternant pleurnicherie assumée et tarte à la crème purificatoire. Par exemple, *Les Temps modernes,* si mes souvenirs sont bons, la séquence idyllique et pleine de pathos où Charlot et « la Gamine » s'installent dans une bicoque en planches : le contenu de la scène se désagrège à l'instant où Charlot, passant la porte, reçoit une poutre sur le crâne. Toc ! Et il conçoit la théorie de la gravitation universelle... Ah ! non, je me trompe de bonhomme... Ces exemples pullulent dans les films de Chaplin, comme dans ceux de Lewis. Chez Tristan Bernard, la différence est que le tragique sous-jacent est cruellement vécu, mais transfiguré par le rire. En définitive, le résultat est le même... Dans les bandes de Gotlib, la première page de *La coulpe* est de cette veine : l'étoile de David est ici pourvue d'un gicleur d'eau. De même pour *Le boueux de mon enfance,* où l'énormité

de la situation projette au second degré la sensiblerie montante ; et aussi pour l'histoire d'Oreste et Pylade, les deux fous qui repeignent leur plafond [1], développant en parallèle la dérision et un sujet en définitive très sombre... Les histoires drôles qu'aime Gotlib sont surtout celles qui démarrent sérieusement pour être dynamitées à la fin. C'est un peu le principe des parodies sonores de Spike Jones. C'est le même sur lequel repose le prégénérique d'*Helzapoppin* : l'escalier monumental, les filles emplumées qui descendent. On se croirait dans un film à la Broadway, clinquant, fastueux. Et soudain, les marches de l'escalier se rabattent, forment une glissoire et c'est la dégringolade... Gotlib raffole de ce clinquant sabordé, le gigantesque abattu par un grain de sable tout bête, le « beau » enlaidi. C'est un peu le principe d'Orson Welles filmant des personnages grandioses, géants, à coups de savantes contre-plongées, mais dans le fond pauvres types, faibles et complexés. Et Welles est l'un des maîtres à penser de Marcel. Ce décalage entre l'apparence et la réalité se retrouve aussi dans *Méditez la leçon,* quand le patriarche finit — au propre — dans le ruisseau. Plus le décalage est grand entre ces deux pôles — sérieux/comique, imposant/piteux — plus le procédé fonctionne : c'est au fond l'éternelle extrapolation du

1. PILOTE, n° 608 (1971) et album n° 3. Gotlib signale : « On y voit entre autres un vieux juif orthodoxe en kaftan et parlant en idéogrammes hébreux. Viré comme les autres par le Japonais, d'ailleurs ! »

1. **Histoire désopilante,** « R.A.B. », PILOTE, n° 597 (1971) et album n° 4.

ressort numéro un du rire, consistant à faire glisser quelqu'un sur une peau de banane (ou tomber dans une bouche d'égout, ou prendre un râteau dans la figure...). Gotlib me dit avoir lu une étude de ce que l'on pourrait appeler le premier gag de la vie : on prend un bébé, on fait mine de le projeter en avant et on le retient in extremis. Ce geste amuse prodigieusement les enfants et il repose sur le principe dont je parle : entamer quelque chose sérieusement puis l'interrompre brusquement. Le comique n'est sans doute pas fondé sur ce seul principe mais il s'en inspire en grande partie. Cependant, explique Gotlib, « c'est une notion qui tend à disparaître parce que basée sur l'idée de " chute ", idée aujourd'hui caduque, ce qui est peut-être tant mieux : ça encadre ton truc, ça le brime, ça te limite dans tes recherches. Il y a beaucoup de planches de Reiser où l'on ne trouve pas de chute, où l'essentiel se passe en cours de planche. Il m'est souvent arrivé de rejeter des projets qui m'auraient plu, uniquement parce que je n'avais pas de chute. Et puis j'ai décidé de me passer de la chute, et de mettre n'importe quoi à la fin, un mot, une connerie ! » Le gag où Hamster Jovial et son louveteau vont se branler à la Banque du Sperme[1] ne comporte effec-

tivement pas de chute : il finit sur un mot mais l'important reste la situation décrite. Egalement pour des rubriques telles que *Journal d'un conquistador*[1] ou *Chanson rose, chanson mauve*[2], entre autres, qui sont des histoires sans chute. Sans gag aussi, d'ailleurs, puisque ce sont des rubriques « sérieuses » où la gravité remplace momentanément la rigolade.

Selon Gotlib, la véritable histoire à chute peut s'apparenter à la notion d'esprit, c'est un reliquat de la B.D. ancienne formule. C'est un tour professionnel, un « truc » : l'auteur qui s'ingénie à trouver des chutes au poil... Egalement rejetée par Gotlib, l'obsession de l'Idée, au sens publicitaire du terme, telle qu'il la décrit dans sa rubrique sur « l'Homme à Idées »[3]. En définitive, l'idée n'est pas ce qui importe vraiment. C'est la façon dont elle sera traitée qui importe. Le coup de génie, le slogan terrible accouché par les publicitaires, Gotlib n'y croit pas tellement, et il n'a pas tort : se polariser là-dessus équivaut à se détruire. D'autant plus qu'en ce domaine, les idées les plus anciennes sont souvent celles qui font recette et la propriété artistique n'existe pratiquement plus. Le thème de

1. ROCK & FOLK, n° 77 (juin 1973). Ill. 69.

1. « R.A.B. », PILOTE, n° 503 (1969) et album n° 2.
2. Id., n° 437 (1968) et album n° 1.
3. **Technocratie,** « R.A.B. », PILOTE, n° 643 (1972) et album n° 4.

Maintenant que j'ai
Un bon camarade,
Sûr que plus jamais
Je ne m'ennuierai !

Pour commencer, je vais l'emmener
Faire une joyeuse chevauchée !

Maintenant que j'ai
Un bon camarade,
Sûr que plus jamais
Je ne m'ennuierai !

30. « *Touff* » *(1961). Noter l'écureuil facétieux qui préfigure en ce livre les souris et coccinelle postérieures...*

...Trop tard! Cette fois-ci,
j'ai bien peur d'avoir réveillé
le propriétaire de la maison!
Rrronf... Rrronf... Rrron....
Fait GRIGO le Bûcheron.
Quel est le petit fripon
Qui chatouille mon nez rond...
Rrronf... Rrronf... Rrron...»

Mais le bûcheron a bien sommeil et il se
rendort sans se douter de rien.

«Ouf! Je l'ai échappé belle! Maintenant il
s'agit de ne plus faire de bêtise. Tiens! La pen-
dule retarde. Je vais la remettre à l'heure!»

Tout à coup...

31. « Titou fait le ménage » (1961)

l'amour, par exemple, dans les chansons d'amour, ne permet plus beaucoup de découvrir l'idée originale : c'est dans la forme, dans la façon de tourner sa chanson que doit résider l'originalité de l'auteur. On ne dira pas à Untel qu'il a piqué l'idée de tel autre sous prétexte qu'il chante l'amour ! Des couplets là-dessus, on en compose depuis que le monde est monde. Par conséquent, l'essentiel est que des chansons d'amour de Bruant, de Trenet, de Brassens, d'Higelin ou de Bertin disent la même chose avec une différence de tempérament et de technique.

L'humour et les petits-z-enfants

Lorsque Gotlib parle des enfants, de son enfant, de son enfance, de l'enfance, il met son humour (voir plus haut définition) au service de quelque chose de tendre, de secret, une espèce de nostalgie amusée tendant à le délivrer de ses obsessions. Il a dit ses deux moments de bonheur parfait : faire l'amour et sa fille Ariane. Celle-ci est passée dans sa rubrique sur le même plan que tous les mômes appelés par Marcel pour fustiger les grandes personnes. Car ces pseudo-« adultes » épouvantent le grand enfant sans autonomie. L'adulte au vrai sens du mot est un être affranchi, libéré de ses contradictions, un être libre et fort. Donc, dans une certaine mesure, cet adulte-là ne rejette pas

son passé mais l'accepte volontiers : il mêle dans le même creuset l'enfance sans compromis et la responsabilité souriante de la maturité... Autant dire que bien peu de gens sont parvenus à l'âge adulte ! C'est ce que dit Gotlib à sa façon dans *Chanson rose, chanson mauve* : « Les adultes aussi sont de grands gosses. Mais ce ne sont plus des enfants. » Manière de rappeler la trahison de la grande personne à l'égard de ses enthousiasmes créateurs de môme. Voilà pourquoi Marcel s'attache au rapport adulte-enfant comme à un réquisitoire. Un réquisitoire qui le protège du même coup et le dispense d'être « grand ». Il est toujours du côté du plus faible, c'est-à-dire du plus pur. Son œuvre est pleine de ces gosses irréductibles venant témoigner contre les faux « adultes » qui mènent le monde.

Sa peinture de l'enfance présente deux visages complémentaires : soit qu'il se dessine lui-même, et le ton devient grave, mélancolique, le ton d'un souvenir qui chante en gris-rose dans la tête. Une mélodie en sourdine. Ainsi de *Chanson rose, chanson mauve, Chanson aigre-douce, Le Bois Huon*, et plusieurs autres pages adagio ma non troppo. Soit qu'il peigne des gamins affrontant l'univers des « grands ». Alors la musique s'accélère, la tonalité devient aiguë. D'un côté, les enfants, crédules, innocents, maniables, yeux grands ouverts sur toute la confiance du monde. De l'autre côté, les faux « adultes », débiles, pervertis, larves humaines jamais sorties du cocon. Et le rythme, guilleret, est celui d'une sautillante cruauté dont l'auteur connaît la recette. Dans ces deux cas, l'enfant est témoin implacable et parfois juge. Inévitablement supérieur à son adversaire : les louveteaux d'Hamster Jovial lui font la nique en toutes occasions, et les demeurés prétendument « adultes » de *Guignol* [1] donnent un bien triste spectacle à la jeunesse médusée.

Parfois, la critique se nuance, devient diffuse, intimiste. A ce moment-là, Gotlib rejoint indirectement cette manière juive de désamorcer par le gag un sujet plutôt sombre. *Au square* [2] est de cette veine : une succession d'impressions pas très amusantes, des notes éparses décrivant le bourrage de crâne infligé

32. Le petit personnage Lito qui deviendra Nanar

aux gosses. Et puis à la fin, ce gamin qui pète et provoque l'ire d'une maman, il vient démystifier la rubrique. En même temps, il donne plus de poids au dossier où l'auteur explique comment une mauvaise éducation peut être insufflée à un enfant à l'insu même de sa mère : le colonel, son militarisme à la con et son

képi (« Tu en auras un tout pareil, mais quand tu seras grand »), la vieille dame patronnesse, maquerelle de maison de vertu, les conseils, les remontrances perpétuelles, les tabous et les interdits insidieusement inculqués. Détail quasiment inaperçu : l'enfant joue avec un petit Noir et sa mère lui dit ensuite : « Lave-toi bien les mains avant de manger. » Racisme implicite puisque le garçon joue encore avec un chien, avant de goûter, et sa mère ne lui commande pas alors de se laver les mains... Au tomber du rideau, c'est le petit gars qui passe en pétant dont on déplore la « mauvaise éducation » ! Il y a dans ces deux pages en demi-teintes, chuchotées, plus de vitriol que dans un tract stencilé en gros caractères.

Parfois enfin, l'enfant et l'adulte se comprennent, font la trêve. Il y a quand même des grandes personnes récupérables, semble dire Gotlib, peut-être pour se dédouaner par avance au cas où il deviendrait subitement « grand » ! *Le boueux de mon enfance* ou *Le matou matheux* [1] amorcent un dialogue. En réalité, selon la démarche de l'auteur, ces histoires racontent une fois de plus le rêve du père dont a besoin l'enfant Marcel. Fred, dans *Le matou*, est la miraculeuse (et moustachue) représentation de cet être secourable par ailleurs entrevu dans Jean Valjean, Bougret et consorts. *Le boueux* devait être au départ la désopilante parodie d'une rubrique du READER'S DIGEST : « L'être le plus extraordinaire que j'aie rencontré », où l'on évoquait des maîtres, des savants, des philosophes, bref, des personnages impressionnants. Gotlib a choisi d'évoquer un boueux en pleine action, en se proposant de faire marrer tout le monde. Mais voilà !... Il le dit lui-même : « Je me suis laissé prendre au jeu, toujours en vertu de ma quête du père, et c'est devenu quelque chose de très grave. Quand le môme dit : « Oh, attends-moi, boueux... » tandis que l'autre est au ciel avec sa poubelle, pour moi, ce n'était pas drôle, c'était profondément ressenti ! »

L'arbre généalogique des influences

Marcel Gotlieb a subi l'influence d'un tas de gens venus d'horizons divers. Influence assumée : « Je ne crois pas, dit-il, qu'il y ait de génération spontanée, sauf cas exceptionnel (je ne vois par exemple pas qui a pu influencer Gébé). Les influences, à mon avis, c'est tout ce qui vient vers toi et se rejoint en un point. Ce point, c'est ton style. » Tout au début, la découverte des dessins animés de Disney est déterminante. Elle suscite le goût des féeries, des grands thèmes dont Gotlib fera son cheval de bataille : Pinocchio, le Prince Charmant, Blanche-Neige et les sept Nains, etc. Techniquement, on retrouve la trace immédiate du style Disney dans les dessins de nature, d'oiseaux, d'animaux en général (ce style étant d'ailleurs confirmé chez Gotlib par la découverte postérieure d'Albert Uderzo, lui-même influencé par Disney), ou dans ces enluminures de mauvais goût — avec le deuxième degré de l'ironie en plus, chez Gotlib —, ces rayons de soleil, notes de musique chevauchant le ciel, ces flonflons graphiques et autres alléluias qui symbolisent le Magnifique, le Resplendissant.

1. « R.A.B. », PILOTE, nᵒ 450 (1968) et album nᵒ 1.
2. « R.A.B. », PILOTE, nᵒ 552 (1970) et album nᵒ 3.

1. « R.A.B. », PILOTE, nᵒ 527 (1969) et album nᵒ 2.

Autre influence notable : le cinéma comique, Chaplin, les Marx, avec lesquels il partage ce sens de l'humour dont nous avons parlé. L'un des premiers chocs cinématographiques du petit Marcel se situe rue Lamarck, tout au début de la guerre, lorsqu'il attend son viatique pour la campagne. Dans son centre de placement, il assiste à la projection d'un film de Méliès (autre grand spécialiste des féeries), où des fils télégraphiques figurent une portée musicale. Méliès y envoie sa tête comme une note. D'autres têtes lui poussent, qu'il envoie successivement sur la portée. A la fin, toutes ces têtes — animées — font un morceau de musique pendant que Méliès les regarde (car il a réussi à en garder une). Ce fantastique trucage demeure bien vivant dans la mémoire de Gotlib. L'illusion créée, l'habileté poétique de Méliès, cet absurde à transformations lui sont restés dans une large mesure. D'autre part, c'est jeune qu'il voudra faire du cinéma et il a jadis réalisé plusieurs petits films, dont un — Claudie en forêt — dans lequel il s'est livré à toutes sortes de trucages, notamment la superposition de dessins animés exécutés par lui-même. Mais sa science du découpage cinématographique, des savants cadrages et de la narration elliptique ne serait pas aussi complète sans l'expérience qu'il a eue du théâtre, de ses outrances réalistes, de la force du « geste ». C'est là qu'il faut chercher la source de la grande présence de ses personnages et de leur caractère bien souvent « théâtral » : déformation du mouvement, donc recréation de celui-ci, excès des attitudes, donc vérité nouvelle de celles-ci, visages extrêmement expressifs, etc., témoignent de l'étonnante assimilation d'un langage visuel à la fois cinématographique et théâtral.

La musique est aussi une inspiration de son monde, du moins une exploitation humoristique de la musique (encore qu'il travaille volontiers « en musique », et que ça doit plus ou moins influencer son travail). Gotlib est très jeune quand il a la révélation de l'orchestre de Spike Jones, pratiquant une correspondance sonore de la parodie littéraire et faisant du gag autant que de la musique. Dans les carnets de croquis de Marcel, j'ai retrouvé un dessin de l'époque, visualisant l'impression produite par l'audition d'un disque de Jones ! (Ill. 3). Plus tard, les Beatles et Zappa pénétreront en ce monde ouvert à tous les courants ; il ne s'agira sans doute plus d'influence, mais de sympathie, de rencontre. La musique est, à l'état premier, omniprésente dans l'œuvre de Gotlib (citations, mise en scène de musiciens, de chanteurs, références). Au deuxième degré, la création d'un univers comique à partir de la musique est plus rare mais réussie. Lorsqu'il consacre deux planches à Beethoven cherchant l'inspiration [1], il transcrit parfaitement — inconsciemment ? — une symphonie en dessins. Et il retrouve l'esprit des formidables « concerts Hoffnung », ces délirantes et britanniques séances où la fidélité musicale rivalise avec l'efficacité de l'humour. D'ailleurs, ce qu'a fait Hoffnung dans l'auditif est exactement ce que fait Gotlib habituellement dans le visuel.

Et c'est la même ambiance folle et torrentielle que Marcel apprend à connaître, à faire sienne lorsqu'il éprouve le grand choc de sa carrière : MAD. L'existence de ce canard, de ses inspirateurs : Kurtzman, Elder, Wood, Severin et autres Davis est une date fondamentale dans l'histoire de la B.D. Non seulement Gotlib s'en réclame pour une très grande part, mais tout le courant contemporain peut y remonter : sans MAD, il n'y aurait probablement pas eu HARA KIRI et sa pépinière de dessinateurs et d'humoristes qui, eux-mêmes, ont fait école, il n'y aurait pas eu le Goscinny, le Mandryka ou le PILOTE que nous connaissons, pour ne citer que ces exemples, il n'y aurait pas eu sans doute cet éclatement prodigieux de la B.D. underground actuelle (du moins pas de cette façon), aux Etats-Unis puis dans le monde entier. Il ne faut pas oublier que Crumb, pour ne parler que de lui, a fait ses premières armes dans HELP, l'éphémère journal que dirigeait Harvey Kurtzman. Et on n'en finirait pas d'aligner les exemples de l'importance de MAD. Entre ce canard et Disney, Gotlib s'imprègne d'images contradictoires mais en définitive convergentes, compte tenu de la réceptivité du bonhomme. Il est juste de le dire : notre cher Marcel est le fils naturel de Minnie Mouse et d'Alfred E. Neuman !

Qui encore ? Georges Brassens, naturellement, pour la forme du texte, l'inspiration. Et puis il porte des moustaches ! Pour être plus exact, avec Brassens aussi il me paraît préférable d'employer le terme de « rencontre ». Gotlib n'a pas vraiment subi l'influence directe de Georges : il a retrouvé chez lui, donc consolidé, quelques-uns de ses démons familiers. L'obsession de la mort, le fait d'en parler souvent et de la charrier — La mort et le DDB [1], Histoire désopilante, etc. —, ce n'est certes pas un héritage : Gotlib avait en lui déjà ce terrain fertile où la pratique quotidienne de Georges a déposé le germe d'une éclosion plus rapide, plus foisonnante (admirez l'image !). Et puis Marcel a beaucoup lu. Il a dévoré les grands ancêtres de l'humour écrit. Benchley, Jerome K. Jerome, Thurber, Allais, Aymé, Leacock, Tristan Bernard l'ont imprégné de leurs principes corrosifs et souvent loufoques. Plus récemment (mais ça n'est pas sans importance), il a pénétré dans l'univers secret de la psychologie et de la psychanalyse, il a lu pas mal de théories, traités, systèmes d'investigation mentale, etc. De là, sa récente tendance à l'auto-analyse qui me paraît présenter certains dangers sur le plan de la création. Comme disait à peu près Nietzsche : « L'artiste qui s'analyse se perd », et Gotlib le sait bien. D'autant plus désemparé qu'il a conscience de cette évolution, il avoue : « C'est pour ça que bosser devient de plus en plus dur : connaissant ma tendance actuelle, je la refuse. Donc, j'attends le moment propice où j'ai suffisamment de tranquillité d'esprit pour faire un truc d'instinct, sans l'analyser au départ. Le principal est de faire d'abord, de réfléchir après. Mais c'est maintenant très difficile ! »

Dernière influence, répartie, celle-là, sur une longue durée : René Goscinny. Lui-même spécialiste de MAD pour avoir jadis collaboré aux U.S.A. avec les futurs dessinateurs de cette revue, Goscinny est incontestablement le moteur numéro 1 de la B.D. de ces dix dernières années, tant en France qu'en Belgique. Pour Marcel, la lecture des aventures d'Astérix fut un apport considérable dans un registre d'humour qui était voisin du sien. Elle lui a enseigné la facture du récit comique,

1. Inspiration, « R.A.B. », PILOTE, n° 576 (1970) et album n° 4.

1. « R.A.B. », PILOTE, n° 492 (1969) et album n° 2.

de l'ellipse et du gag, le sens de la narration sans bavure ni surcharge. D'autre part, Goscinny a un peu catalysé toutes les autres influences en étant le premier scénariste de Gotlib, en cohabitant pour ainsi dire avec lui durant de longues années, en le formant peu à peu par un apprentissage continu et un rapport humain extrêmement étroit. Amical, confiant, Goscinny a permis à Gotlib de s'exprimer pour la toute première fois, au sortir d'une collaboration conçue comme une éducation. Plus en profondeur, Marcel et son « patron » avaient établi des relations très privilégiées fondées sur une réelle amitié, une admiration réciproque et un mutuel sentiment fortement filial/paternel. Ce dernier point, sans doute Goscinny n'en est-il pas conscient ; il devait le ressentir confusément sans se l'avouer. Sinon, je ne vois pas ce qui a pu motiver une réaction à ce point passionnée lorsque Gotlib s'est détaché de lui — de PILOTE — pour se consacrer à L'ÉCHO DES SAVANES (style auquel Goscinny est allergique). Tous les actes de Goscinny sont passionnés, il le reconnaît volontiers et s'en explique longuement dans le numéro des CAHIERS DE LA BANDE DESSINÉE qui lui est consacré [1]. En l'occurrence, dans ce cas précis, L'ÉCHO est concevable comme un simulacre de « meurtre du père », le geste libérateur par lequel Marcel a gravi un échelon de son autonomie. Et Goscinny l'a durement éprouvé à sa manière, comme une trahison. Du côté de Gotlib, la prise de conscience est nette : « L'attachement que j'éprouve à l'égard de Goscinny a très longtemps été inconscient. C'est-à-dire que je croyais l'adorer comme un maître et comme celui qui, professionnellement, m'avait fait une absolue confiance. Et puis peu à peu, sur la pointe des pieds, j'ai fini par comprendre le côté presque pathologique de cet attachement, de nos rapports même. Il n'y a pas si longtemps que j'ai ouvert les yeux : en 1971, tout au plus... »

La vilaine angoisse et le bon sorcier

A cette prise de conscience essentielle, puisque presque tout le reste en découle, on peut trouver plusieurs causes étroitement liées les unes aux autres. Entre 1970 et 1971, il y a eu la perte du deuxième enfant des Gotlieb, la mauvaise santé de Marcel et la découverte de la psychanalyse, entre autres événements qui ont bouleversé sa vie et l'ont amené à se reconsidérer à partir de zéro. Début 1970, Claudie met au monde un garçon prénommé Frédéric, qui meurt dix jours après sa naissance. Le choc émotionnel de Marcel est tel qu'il croit ne pas s'en remettre. La mort du bébé agit comme le catalyseur d'une réaction chimique ou comme un électrochoc modifiant le comportement. Flippé à cent pour cent, Marcel pénètre dans le domaine de la psychanalyse et même de la psychiatrie. Peu après, dès février 70, il connaît des ennuis de santé en cascade qui s'avèrent pour la plupart d'origine psychosomatique. Cette série de revers l'amène à réfléchir davantage et mieux qu'auparavant sur lui-même. De son étude psychanalytique, il tirera deux

planches hilarantes dans la « Rubrique à brac » [1], puis la séance psycho-scatologique de La coulpe.
Un début de prise de conscience naît de tout cela : « Pour moi, déclare Gotlib, je ne vois que du positif là-dedans. Je ne dis pas de l'agréable, mais du positif, aussi bien dans ma vie privée, dans mes rapports avec autrui, que dans mon activité professionnelle. Tout ce que je fais aujourd'hui, je le dois en partie à cette période : sans elle, je n'aurais certainement jamais participé à L'ÉCHO DES SAVANNES. La notion du bonheur m'est apparue enfin clairement, comme une idée vachement romantique. L'important n'est pas de ne pas avoir de problèmes — tout le monde en a — mais d'être assez grand pour les assumer, les résoudre tout seul ou les démystifier ! » « Etre assez grand », dit-il : c'est la somme de toute son œuvre... Il est certain que la guérison est en bonne voie. Gotlib n'est plus l'écorché vif que j'ai connu lorsque j'ai passé pour la première fois le portail du boulevard de Belgique. L'angoisse s'est assourdie, est devenue intermittente. A peine reste décelable la personnalité « sensitive », dans cette façon de retrouver une foule de petits détails que le commun des mortels oublie presque toujours : Marcel se souvient à la perfection de toutes ses mésaventures, depuis les premières années, il n'oublie rien de ce qui le contrarie alors que les expériences heureuses s'estompent le plus souvent derrière la brume des persécutions quotidiennes. Il connaît encore les instants de panique ou de total désœuvrement qui signalent les dépressifs. Mais la belle, la grande angoisse, l'angoisse du matin au soir telle qu'il l'éprouvait avant, elle s'est diluée progressivement. Provisoirement ? On l'a sentie culminer dans les derniers feux de la « Rubrique à brac » : exacerbation du dessin, comme dans Kinésithérapie [2] ou dans l'histoire de l'illusionniste malheureux [3], délire morbide de la bien nommée Histoire désopilante. La fin de la « R.A.B. » est une incroyable escalade dans la confession, la nervosité, l'irritation et la destruction de soi. « Tu parles ! dit Marcel. L'angoisse était inhérente à la rubrique elle-même car je ne voulais pas que celle-ci tombe ou recule : toutes les semaines, j'étais donc condamné à faire mieux que la fois précédente ! Dis-toi que, lorsque j'étais en train d'achever l'encrage d'une rubrique, l'angoisse me reprenait pour la prochaine, j'étais déjà paniqué par les planches suivantes. »
L'angoisse, elle est à la fois la condition et la conséquence de son œuvre. Elle est dépendante du style de B.D. choisi par Gotlib. Depuis le début de la « R.A.B. » et jusqu'à maintenant, il est contraint à la surenchère parce que ses bandes sont le récit de lui-même, des feuillets intimes, des signaux de détresse. Il m'est arrivé d'évoquer son cas avec certains de ses confrères : tous m'ont dit leur méfiance et leur crainte — avec une forte pointe d'envie —, que cette démarche aboutisse à une impasse. Est-ce que c'est arrivé ? Parvenu à la culmination de la « R.A.B. », au bout de ce qui était permis, compte tenu du journal, Gotlib a franchi un échelon avec « Hamster Jovial », dans ROCK & FOLK. Là aussi, et très vite, il lui a fallu dépasser ce stade : ce fut L'ÉCHO DES SAVANES.

1. **Psychanalyse**, PILOTE, no 641 (1972) et album no 4.
2. PILOTE, no 596 (1971) et album no 4.
3. **Rien dans les mains. rien dans les poches**, id., no 586 (1971) et album no 4.

1. No 22 (3e trimestre 1973).

33. Dessin de Greg

A présent, au sein de ce journal, il faut se dire que la culmination est là : un nouveau mur se dresse, qu'il faut franchir ou non, abattre ou contourner. « Ce que tu dis là m'inquiète vachement, soupire Marcel, surtout que tu n'es pas le premier à me le dire ! »

Alors, que va-t-il se passer ?

Oui, que va-t-il se passer, maintenant ? Où va Gotlib ? Qui est-il ? Que fait-il ? Comment ? Quand ? Pourquoi ? Lequel ? Par lequel ? Dont auquel ? Subséquemment ?... Je vois personnellement quatre solutions possibles : le piétinement au stade actuel (voire la régression), le changement de moyen d'expression, l'abandon pur et simple (c'est-à-dire la fuite), ou tout bonnement le suicide. Gotlib a le choix, même si la décision ne lui appartient pas (ce serait facile si la volonté suffisait : n'en a pas qui veut ! Voir à ce sujet *La coulpe*.) Il peut continuer sur sa lancée, sans aller plus loin, quitte à revenir en arrière ou à se lancer dans le « commercial », l'insincère, la B.D. traditionnelle (il n'y a pas de honte à ça !). Il peut toucher à autre chose, le cinéma, la chanson, l'écriture, par exemple. Avec immanquablement le même cheminement : il passera de nouveau son temps à courir après lui-même, à changer de moyen d'expression comme de slip. Alors ou à la fin de quoi il peut fuir le monde et ses responsabilités : c'est la défonce, l'alcoolisme, le vice, le ruisseau et, pour finir, la prison ! A moins qu'il ne s'en aille, laissant tout tomber, filant se brûler en Ethiopie ou ailleurs, Rimbaud du petit Mickey, trafiquant l'armement ou la chair humaine... Ou bien, il peut se foutre en l'air plus rapidement et plus proprement, d'un canon de pistolet dans la bouche (tu parles de propreté !) ou d'un robinet de gaz négligemment ouvert.

Si l'on regarde bien sa démarche créatrice, il faut admettre que c'est une démarche suicidaire. Un suicide intellectuel, méthodique, accéléré depuis peu. « Tu crois que je ne m'en rends pas compte ? » s'écrie-t-il en souriant. Il y a longtemps, une nuit de totale déprime, il a eu la tentation de mettre le point final à son aventure : à 4 heures du matin, il se tenait debout dans son atelier, une lame de rasoir à la main, fou d'angoisse, se demandant : « J'y va-t-y ? J'y va-t-y pas ? », moitié pour rire, moitié sérieux. C'était une espèce de cinéma qu'il se jouait. Mais bien des gens finissent de la sorte, bêtement : beaucoup de suicides réussis sont du cinéma raté ! Il est rarissime, l'authentique point final délibérément assumé, pensé, monté comme une cérémonie. La forme du suicide, chez Gotlib, est fortement névrotique, c'est-à-dire fondée sur la comédie. Œdipienne aussi, puisque ça devient l'ultime recours à l'affection d'autrui, un appel à la compassion.

La « R.A.B. » aurait pu continuer telle quelle encore longtemps sans régresser : le ton donné, le monde bâti, rien n'empêchait Gotlib de suivre ses rails. Appelons ça un piétinement. Mais il n'a pas voulu piétiner. Chaque fois qu'une de ses idées arrive à maturité, il la jette au panier : Newton, Burp, la coccinelle, entre autres, ont ainsi fini en pleine gloire... « Les dossiers sur les animaux, au début, ça me faisait bander vachement. Et puis c'est devenu un système : toutes les trois semaines, je cherchais un animal, je prenais un dictionnaire, une encyclopédie et je notais les détails les plus marrants sur cet animal. A partir de là, je me mettais à déconner. Et c'est très facile... Tant que c'est sincère, on s'en fout que ce soit facile ; mais quand ça devient de la ficelle, ça ne me convient plus ! » Gotlib ne se contente jamais des solutions de facilité. Il adopte d'ailleurs l'attitude générale la plus inconfortable qui soit : celle du repliement sur soi-même. Il voulait intituler un recueil de nouvelles : « Par le trou de serrure de mon nombril. » Toute son éthique est résumée dans cette phrase. Voyeur de lui-même, témoin extérieur et inopérant de ses agissements, il s'observe schizophréniquement à la manière d'un chercheur penché sur un curieux virus. Il décrit les us et coutumes, les états d'âme, les faits et dires d'un virus appelé Marcel Gotlieb. Et jamais il n'a songé que Marcel et Gotlib pouvaient un jour se souder en un seul être. Ou bien il y songe, mais ce sera pour quand il atteindra l'autonomie. Et il suppose vaguement que ça se fera tout seul.

G. — Il y a peut-être une autre solution à laquelle tu n'as pas pensé dans ton catalogue : c'est sortir, sortir de moi, abandonner mon nombril. Peut-être que certaines choses dont j'ai pris conscience, associées à L'ÉCHO DES SAVANES, feront que je sortirai.

S. — Avec L'ÉCHO tu ne sors pas du tout : tu es sur un autre plan mais tu continues sur la même lancée ! Dans cette recherche constante de toi-même, l'alternative se présente ainsi : ou bien tu te trouves, et alors tu n'as plus rien à dire aux autres. A ce moment-là, tout se passe très bien pour toi, c'est la sérénité...

G. — Oui, c'est le narcissisme total.

S. — Ou bien tu ne te trouves pas. Alors, tu arrives au bord d'un vide et tu tombes.

G. — C'est pour ça que je te parle de sortir. Au lieu de regarder mon nombril, je peux me mettre à regarder celui des autres. C'est une forme possible de « politisation », au sens large du terme.

S. — Peut-être, mais quoi que tu en dises, tu verras le nombril des autres en fonction du tien propre. Et puis, dans ta démarche, ce sera quand même un pas en arrière.

G. — Evidemment, c'est difficile de spéculer sur ce qui arrivera plus tard. D'abord, je commence à sentir l'angoisse me gagner rien qu'à cette conversation !

Admettons qu'il y ait de l'espoir. Sans savoir où ça le mènera, le fait de vouloir aller plus loin lui permettra sans doute de faire tomber des murs qui le gênent et sustentent son angoisse. Derrière ces murs, il y a une multitude de possibilités, il y a l'air libre, le soleil. C'est vrai qu'il y a d'autres chemins que celui de la fuite ou du suicide. Je songe à cette page bougrement significative des *Trompettes de Jéricho* [1], la somme de Marcel, de son angoisse et de ses espérances. Les murs s'y écroulent par l'action conjuguée de la pornographie (le bilboquet en forme de bite) et de la scatologie (la boule est un étron). Bien sûr, ce n'est pas une panacée ; c'est une spéculation intellectuelle sur des possibilités entrevues. Après la parution du numéro 1 de L'ÉCHO, Gotlib a reçu l'une des rares lettres méchantes de sa carrière (et naturellement, il en est encore tout traumatisé !). On lui reprochait, ainsi qu'à ses camarades de la revue, de jouer les affranchis, d'être faussement « libéré ». Alors qu'en réalité, ni Gotlib, ni Bretécher, ni Mandryka n'ont eu la prétention de se croire « libérés ». L'ÉCHO est justement une tentative de libération, et la nuance n'échappera à personne. Voir à ce sujet l'interview du dernier chapitre où nous évoquons ce problème.
Changer de moyen d'expression, Gotlib l'a déjà fait, à petite échelle : radio, cinéma, chanson, il a tâté de tout en se disant que c'était une ouverture, un enrichissement. Il a la chance de pratiquer un boulot merveilleux qui lui permet de multiples « à-côtés ». Le métier de la B.D. n'est en fait pas une « profession », c'est une merveilleuse « activité ». Bienfait du ciel dont Marcel est particulièrement conscient et jaloux : si ça devait lui devenir une corvée, il préférerait changer de métier parce que, sur le plan technique, le dessin

est pour lui une pratique assez ardue. Il dessine lentement, durement. Une planche lui demande énormément de sueur et de crampes au poignet. Il n'a pas la déconcertante facilité de certains confrères qui dessinent comme on respire. Dans son cas précis, la technique est proportionnelle au contenu exprimé. Dans la mesure où, sur le plan de l'idée, il se défonce chaque fois un peu plus, il s'acharne également à ce que son dessin soit de plus en plus fort, de plus en plus poussé. C'est l'éternel et titillant problème de la forme et du fond : il est quand même embêté de dessiner « proprement des choses sales », comme il dit ! Il cite toujours Crumb qui, lui, quand il dessine de la merde, la dessine merdiquement. Mais on ne lutte pas contre sa nature et je ne vois pas pourquoi être complexé de trop fignoler sa planche ! Il est certain qu'un homme possédant une technique rapide sera moins exigeant envers ses idées ; lui peut se permettre un passage à vide, sa facilité autorisant une réserve d'idées supérieure. Par exemple, Reiser a une production impressionnante parce qu'il dessine très vite et très efficacement. Il peut donc se payer le luxe de rater quelque chose de temps en temps (très rarement), vu qu'il se rattrapera la fois suivante. Mais Gotlib, parce qu'il dessine moins vite qu'un autre, se doit d'être plus difficile sur le choix de ses thèmes. Il lui arrive de rester une heure sur une seule case ! Etant arrivé à la maîtrise parfaite de son art, il lui est malaisé d'aller plus loin, d'améliorer sa technique. Sa recherche actuelle est donc tournée vers la simplification, un dessin moins élaboré, plus épuré. La publicité pour le minestrone [1], *Les trompettes de Jéricho, La triste histoire du monsieur qui avait deux bistouquettes* [2] sont les premiers témoins de cette recherche. Là réside peut-être une porte de sortie : une forme simplifiée peut aider Gotlib à trouver l'équilibre, en bouleversant son application nerveuse à fouiller les images qu'il dessine. A ce moment-là, il pourra peut-être se détourner un peu de son nombril et « sortir ». Se mettant à dessiner à la façon d'un Reiser, il aura l'occasion de se créer une thématique adéquate, soit politisée, comme dans la rubrique sur *L'absurbe*, soit gratuite — *La triste histoire...* —, mais en tout cas moins obnubilée par la contemplation narcissique. Auparavant, il exécutait à la lettre ce qu'il avait écrit dans son scénario. Aujourd'hui, et grâce à cette forme détendue de dessin, il prend des libertés avec son texte et corrige en cours de réalisation...

Il est intéressant de constater que la plupart des créateurs, quel que soit leur moyen d'expression, lorsqu'ils sont parvenus à un certain point de richesse formelle, évoluent vers une simplification, une ascèse bizarre, donc une liberté d'action nouvelle. Sans doute finit-on par être prisonnier de sa propre perfection. Et simplifier, dans ces cas-là, ce n'est pas forcément appauvrir. « Oui, s'empresse Gotlib. Là, il y a un espoir pour moi ! Et c'est en ce sens que je conçois ma participation à L'ÉCHO DES SAVANES : autrement, essayer de trouver une autre forme en même temps que mon autonomie d'individu... C'est pourquoi nous avons tous les trois décidé de nous occuper aussi des ques-

1. L'ECHO, n° 2 (3e trimestre 1972). III. 78.

1. L'ECHO, n° 1 (2e trimestre 1972). III. 80.
2. L'ECHO, n° 4 (3e trimestre 1973).

tions administratives et commerciales. Sans ça, nous nous serions sentis frustrés. Les trois premiers numéros du canard ne furent que visites à des avocats, discussions entre nous, décisions prises, oubliées à la minute même où on se quittait : une série d'actes manqués ! Jusqu'au jour où nous avons pris une décision : tant que les problèmes techniques ne seraient pas résolus, nous ne dessinerions plus rien ! Finalement, tout a bien marché. » En effet, tout ce temps que Marcel a consacré à de la comptabilité, il n'a pas touché un crayon. Il m'avait naguère confié sa crainte de voir l'activité créatrice bouffée par l'administration. Crainte justifiée dans bien des cas. Mais en définitive, il s'est parfaitement acquitté de sa tâche. Et il s'est remis à dessiner. Un déclic s'est produit, tout récent, une sorte de déverrouillage : quelque chose en lui est tombé, peut-être un mur... La confrontation à des responsabilités a contraint Gotlib à sortir de lui-même,

à réaliser l'inconcevable acte de son enfance : être un homme, un adulte, un responsable. Alléluia !... La preuve en est qu'il vient tout juste de changer de lunettes : finis, les verres fumés qui lui cachaient le regard et lui composaient un masque ! C'est un signe qui ne trompe pas, vous savez, et sur lequel je vais provisoirement conclure. Il amorce peut-être le processus d'autonomie espéré depuis presque quarante ans. Si c'est le cas, il sera prouvé qu'il ne faut jamais jurer de rien, que l'enfant perdu peut toujours retrouver le chemin du foyer. Les cailloux de Marcel, Petit Poucet crayonnant, ce sont probablement des colonnes chiffrées sur un registre rébarbatif. La boucle paraît momentanément bouclée.

« Alors ? rayonne Gotlib à la lecture de ce qui précède. Ce n'est pas si désespéré que ça, hein ? Tu vois que je suis encore récupérable ! »

34. *Dessin de Lucques*

35. Première planche de « Nanar et Jujube »

deuxième époque :
vaillant,
les jeux et ris d'un gai-luron
pas encore déluré

gotlib parle

SADOUL. — Nous voici arrivés au moment où tu décides d'aller proposer tes services à VAILLANT, qui est encore loin de s'appeler PIF.

GOTLIB. — Pierre Tabary est venu me filer le tuyau quelque temps avant mon mariage, tandis que je repeignais l'appartement d'Asnières, et je suis aussitôt parti à VAILLANT avec plein d'originaux, et notamment les dessins du petit garçon qui devaient me servir pour les catalogues de la maison Lito : un petit garçon présentant sur tous les tons les livres de cette maison, à propos des Etrennes 63, donc en 62... A VAILLANT, on m'a dit qu'on me rappellerait. Je me suis marié, en juin 1962, et je suis parti un mois en vacances. A mon retour, coup de téléphone de VAILLANT me convoquant d'urgence : mon petit garçon leur plaisait, ils voulaient que j'en fasse le héros d'une série, mais en lui adjoignant un renard. Un renard, ils en avaient déjà un dans « Placid et Muzo », mais enfin, bon. Alors j'ai fait un tas de recherches, des crobards en pagaille, qui ont collé : on m'a commandé une page par semaine. Et c'est ainsi que j'ai commencé « Nanar et Jujube », en 62, dont les débuts étaient plutôt mauvais. Mais justement, j'apprenais la technique. Il n'était pas question pour moi de me mettre à raconter ma petite histoire personnelle, comme je l'ai fait par la suite. Je voulais seulement assimiler les rudiments techniques, aussi bien sur le plan dessin que sur le plan du scénario, du gag.

S. — Nanar est donc issu du petit bonhomme des catalogues Lito ? (Ill. 32).

G. — Exactement, et ça me rappelle une anecdote marrante : un ou deux ans après, un catalogue Lito est tombé entre les mains de Georges Rieu, rédacteur en chef de l'époque qui s'est mis à m'engueuler : « Comment ! Vous faites des catalogues avec notre personnage ! » Il ne se rappelait pas que c'était le contraire qui s'était passé ! Dès ma première planche, Nanar trouvait le renard Jujube pris au collet (ill. 35). Et il y avait aussi les deux oncles : Blaise et Basile, l'un, intellectuel, l'autre, manuel. Mais il y a eu des changements continuels dans la bande, et dès le commencement. Ça a assez bien marché puisqu'ils me demandaient aussi, en plus de la page « Nanar et Jujube », des histoires complètes en deux planches. Puis un jour, ils m'ont dit qu'il fallait supprimer les deux tontons, ce que j'ai fait ; puis ils m'ont demandé d'introduire une petite fille, ce que j'ai fait aussi. Et Piette est née de la sorte, pendant qu'en 63, le titre de la série devenait : « Nanar, Jujube et Piette. » Ensuite est apparu Gai-Luron, le chien qui ne rit jamais, fortement influencé par Droopy, le chien des dessins animés de Tex Avery.

S. — Il faut pourtant noter que Gai-Luron riait à sa première apparition [1]...

G. — C'est vrai, il rit à la fin de sa première planche. Le gag venait du fait que Jujube essayait de le faire marrer pendant toute la planche, mais vainement, jusqu'au moment où il s'en allait sans regarder devant lui et se foutait la gueule contre un arbre. Alors, le chien s'écroulait de rire...

S. — C'était d'ailleurs, physiquement, un vrai chien, très différent de ce qu'il est maintenant.

G. — Oui, il n'était pas anthropomorphe : il avait des pattes, une tête de chien, plus ou moins réussie, etc. Et petit à petit, il est devenu un personnage très important. Premièrement, il me plaisait beaucoup. Mais surtout, comme je me sentais techniquement plus à l'aise, j'ai pu vraiment animer un personnage original, un personnage qui venait de moi, que je sentais davantage : les autres, Nanar, Jujube, c'était du « truc », c'était du stéréotype et ça ne m'intéressait pas des masses. Enfin, ça m'intéressait dans la mesure où ça me permettait d'assimiler les rudiments du métier, et bien entendu sur le plan financier, puisque ces personnages me faisaient vivre ! Cette page hebdomadaire, payée à l'époque 25 000 F, me faisait un fixe mensuel de 100 000 F très appréciable (francs anciens, tout ça, bien sûr). Et je gagnais ça en huit ou dix jours de travail, alors qu'avant, il me fallait deux mois de boulot pour arriver à cette somme...

S. — Mais Claudie travaillait toujours ?

G. — Elle continuait à travailler au studio Edi-Monde, mais elle ne le faisait plus qu'à mi-temps. Et elle a définitivement cessé quand c'est bien parti pour moi.

S. — Alors, Gai-Luron s'installe de plus en plus dans ta vie...

G. — A l'époque, je m'étais un petit peu débarrassé des problèmes techniques. J'ai donc pu me laisser aller davantage, animer un personnage qui n'était plus tout à fait du stéréotype, que je sentais un peu plus.

S. — Ce personnage, tu pouvais donc le faire évoluer...

G. — Voilà : je pouvais le manipuler, le faire vivre plus que les autres. Il a pris tellement d'importance qu'un jour, en 1965, Nanar et Piette ont disparu, et la bande s'est appelée : « Jujube et Gai-Luron » avec, pendant un certain temps, ces deux personnages comme seuls acteurs.

S. — Sur quoi reposaient tes gags : le comique à deux, style bourreau-victime ?

G. — Pas tout à fait, ce n'était pas la paire traditionnelle des histoires comiques (Laurel et Hardy, etc.). Chacun des deux avait son tempérament et chacun était une projection inconsciente de moi-même, je m'en rends seulement compte à présent. Pour reprendre le cliché scolaire sur Racine et Corneille, disons que Jujube était tel que j'étais, et Gai-Luron, tel que j'aurais aimé être ! C'était assez proche de cette définition. Gai-Luron était intelligent, mais vachement je-m'en-foutiste et presque odieux. Sa première caractéristique était qu'il roupillait sans arrêt, et souvent il faisait des rêves. En particulier, un horrible cauchemar, une fois : il rêvait qu'il n'arrivait pas à s'endormir [1] ! Or, à l'époque,

1. Coïncidant avec le n° 1000 de VAILLANT (1964). Ill. 36.

1. N° 1199 (1968).

36. Première apparition de Gai-Luron

et toujours maintenant, d'ailleurs, je souffrais et je souffre d'insomnies. Donc, tu vois, il y avait ça qui était très net. Et puis le côté, non pas vraiment odieux, mais culotté, gonflé du personnage : Gai-Luron est sans complexes, lui, et c'est un calme, jamais énervé, jamais pris de court.

S. — C'est un fort.

G. — C'est ça, c'est un fort, mais pas un fort agressif : un fort calme. Quant à Jujube, c'était l'être faible, le pauvre mec vulnérable. Chaque fois qu'on arrivait en automne, que les feuilles tombaient, il se mettait à chialer, il faisait des crises de cafard terribles, il voulait se suicider... Le journal étant soumis au cycle des saisons, il fallait toujours pondre des pages de circonstance, sur Noël, Pâques, etc. Donc à la rentrée, c'est-à-dire en automne, j'ai basé plusieurs fois le gag sur le cafard de Jujube devant les feuilles qui tombent [1].

S. — Et Gai-Luron le consolait du mieux qu'il pouvait. Mais je me souviens d'une fois où Jujube filait son cafard à l'autre, qui allait à la fin se suicider [2] !

G. — Oui, et une autre fois, Gai-Luron installait une effigie en bois de lui-même, devant laquelle Jujube répandait ses sanglots. Puis il se barrait et on voyait

1. Nᵒˢ 1072 (1965), 1112. 1121 (1966) et 1166 (1967).
2. Nᵒ 1166 et album « Gai-Luron », sous le titre : **Le mal de vivre.**

le vrai Gai-Luron qui venait reprendre son effigie en disant : « De toute façon, c'est la même chose à chaque fois. Je commence à connaître l'histoire [1]. » C'est un peu le principe de la psychanalyse !

S. — Et tu étais comme ça, à cette époque ? Jujube, c'était vraiment toi ?

G. — Evidemment, c'était caricatural. Et instinctif aussi, pas du tout analysé. Mais il est vrai que j'ai toujours été assez dépressif et ai toujours éprouvé du plaisir à parler, à me raconter, à raconter mes trucs aux autres. Une chose est certaine, donc : déjà à cette époque-là, il commençait à y avoir un peu de moi dans mes histoires, dans Gai-Luron et dans Jujube.

S. — Etais-tu déjà angoissé comme tu l'es aujourd'hui ?

G. — J'ai toujours été angoissé. Ça m'a pris à la fin de mon service militaire, avec cette idée complètement conne : « Maintenant, tu es un homme, il faut que tu fasses ta vie ! » Et l'angoisse m'a pris, la véritable angoisse, avec insomnies, obsessions, etc. En outre, les migraines ont commencé aussitôt après mon mariage.

S. — Ceci expliquerait-il cela ?

G. — Je n'en sais rien. Il y a un peu de ça, peut-être, car c'est très net : trois mois après mon mariage, j'ai brusquement commencé à souffrir de la migraine. Fina-

1. Nᵒ 1112.

37. « L'effet Koulechov » selon Gotlib...

lement, je pense que ça se tassera tout seul parce que c'est manifestement psychosomatique.

S. — Mais ton mariage n'avait-il pas un peu calmé tes angoisses, comme la naissance de ta fille les calmera momentanément ?

G. — Bien sûr que si, mais provisoirement. Après mon mariage, je me sentais très bien, je n'avais plus d'angoisses, plus d'insomnies... mais c'est la migraine qui est apparue ! La raison vient peut-être aussi d'une culpabilisation vis-à-vis de ma mère, c'est bien possible. Ce qu'il y a d'emmerdant avec les trucs psychosomatiques, c'est que l'organisme s'y habitue, même si la cause en est psychique. Ensuite, cette douleur peut donc revenir pour un tas d'autres raisons, aussi bien des contrariétés qu'une banale indigestion. Si tu veux, c'est vraiment une sorte de cri d'indignation de l'organisme.

S. — Cela t'est resté ?

G. — Oui, mais ça a tendance à s'estomper de plus en plus.

S. — Pour en revenir à VAILLANT, on peut donc dire que, non seulement tu y as fait tes classes de dessinateur, mais aussi que ce sont tes débuts d'auteur, au sens où tu commences à peindre des choses qui sont en toi ?

G. — Absolument. Il y a eu, dans « Gai-Luron », une espèce d'ascension comparable à celle de la « Rubrique à brac », mais à un degré au-dessous : c'était une ascension encore timide dans l'expression, moins investissante pour moi. J'étais quand même en retrait, j'y mettais peu de moi-même.

S. — Est-ce que tu t'es alors dessiné dans tes histoires comme tu l'as beaucoup fait par la suite ?

G. — Oui, ça m'est déjà arrivé. Notamment dans une planche avec la souris : Gai-Luron était très en colère, il en avait marre de cette souris qui le faisait chier et il décidait d'aller engueuler le dessinateur. Il allait au grenier, soulevait une trappe qui donnait dans l'encrier du dessinateur et on me voyait alors, mais de dos et sans la tête [1]. On pouvait me reconnaître au pull à col roulé que je portais beaucoup à cette époque. Mais le gag était que, me faisant engueuler par Gai-Luron, je lui disais : « Bon, puisque tu n'aimes pas les souris... », et je lui collais un éléphant ! C'est à hurler de rire...

S. — Nous sommes toujours vers 1965-1966, dans « Jujube et Gai-Luron » ?

G. — Toujours. Un nouveau personnage est venu les rejoindre : Dolly, une petite chienne caniche. Mais de plus en plus, je faisais des gags avec Gai-Luron tout seul. Et j'avais de petits problèmes avec la rédaction de VAILLANT qui trouvait que j'allais parfois un peu loin par rapports aux jeunes lecteurs du canard. Et il y avait surtout que je dessinais maintenant très vite : ma planche hebdomadaire, je la finissais en un jour, un jour et demi ! Alors il me restait du temps libre. Et j'avais envie de faire des trucs pour d'autres journaux... Je me suis donc mis à dessiner une histoire, Le caméléon, d'abord pour moi, pour passer le temps,

et puis, quand je l'ai eu finie, je me suis dit que j'allais la proposer à PILOTE. Seulement, je me suis dégonflé et j'ai choisi le journal RECORD.

S. — C'est là-dedans qu'apparaît l'ancêtre du professeur Burp de la « R.A.B. » ?

G. — C'est ça, un vieux professeur explorateur qui s'appelait Frédéric Rosebif. Désopilante allusion à Frédéric Rossif, naturellement. J'ai donc porté mon histoire (huit pages) à RECORD. J'ai été reçu par le rédacteur en chef, Claude Verrien, et l'autre animateur, le père Edern qui s'est, paraît-il, défroqué depuis...

S. — Oui, il est même devenu gauchiste, sous le nom d'Edern-Hallier.

G. — Qu'est-ce qu'on se marre ! Bref, ils ont pris mon histoire, mais en me demandant de la réduire à cinq planches et en suggérant l'époustouflante idée de remplacer le dessin du professeur par la photo d'un mec incluse dans la bande [1]. Ils sont allés chercher le concierge de la maison, rue Bayard, et c'est lui qui est devenu Frédéric Rosebif. On a fait deux séances de pose, parce que j'ai fait ensuite une seconde histoire du même style, L'autruche [2]. A l'issue de ces deux histoires, ils m'ont dit : « Maintenant, vous faites partie de notre équipe », et ils m'ont convié à une réunion de tous les collaborateurs en vue d'établir un « trombinoscope » avec la tête de chacun pour un numéro spécial de fin d'année. Je bichais comme un pou, tu penses : pour la première fois, j'avais l'impression d'être intégré à une équipe ! Et, grand événement, à cette réunion, il y avait René Goscinny, venu avec Jean Tabary en qualité de scénariste de « Iznogoud ». C'était impressionnant parce que Goscinny était vraiment l' « homme qui monte », le grand nom de la B.D. française. Il n'était évidemment pas encore célèbre dans le grand public — « Astérix » n'avait pas encore connu le boom — mais, dans la profession et parmi les lecteurs de PILOTE, c'était déjà le « grand monsieur ». D'ailleurs, on sentait que tous les mecs se mettaient à l'écart, l'écoutaient avec respect. A cette réunion, j'ai retrouvé Loys Pétillot et j'ai sympathisé avec Jacques Lob parce qu'il aimait énormément MAD (c'était pratiquement le seul de l'équipe, avec Goscinny, à avoir des connaissances dans ce style de B.D. plus actuel par rapport à ce qui se faisait dans RECORD). Je me souviens qu'en rentrant chez moi, il y a eu un coup de fil : « Allô, c'est Gotlib ? » — « Oui. » — « C'est bien le dessinateur Gotlib ? » — « Oui. » — « Le célèbre grand dessinateur Gotlib ? » — « Oui »... J'attendais une plaisanterie d'un copain et, tout d'un coup, j'entends : « Espèce de con ! » et on a raccroché... Je n'ai jamais su qui c'était. J'ai bien sûr fait un rapprochement avec la réunion de RECORD, où j'avais fait la connaissance de quelques dessinateurs, mais je n'ai jamais compris ce truc. J'ai tendance à dire que ça n'a pas d'importance mais ça en a certainement puisque ça m'est resté et que je te le raconte. Bon, mes angoisses ne viennent sûrement pas de là !

1. N° 1136 (1966) et album « Gai-Luron », sous le titre **Contestation.**

1. Paru dans RECORD, n° 37 (janvier 1965).
2. N° 39 (mars 1965). Ces deux histoires sont reprises dans PILOTE, n°s 398 et 403 (1967), avec suppression du photomontage et rétablissement d'un personnage dessiné (Burp).

S. — Tu as donc fait dans la foulée *L'autruche* et *Le caméléon*. Et c'est tout ?

G. — Ils ne m'ont plus contacté. Ce n'est pas qu'ils tenaient à me larguer, mais RECORD est un mensuel, ils sont obligés de planifier. Bien plus tard — je faisais déjà les « Dingodossiers » — ils m'ont téléphoné pour me reprocher de les laisser tomber : ils attendaient donc que je me manifeste pendant que, moi, je pensais qu'ils ne voulaient plus de moi ! C'est ainsi que s'est arrêtée ma collaboration à RECORD. A cette époque-là, Claudie était malade et, pour ne pas la déranger, je bossais dans la cuisine (une fois de plus !), en écoutant la radio. C'est là que j'ai enregistré sur bande toute une journée où Europe 1 suivait Brassens, du matin au soir, la journée de la première de son récital. J'ai tout enregistré, c'était très chouette. Et c'est dans cette période que j'ai fait *Le gag,* avec la ferme intention de le porter à PILOTE, sans me dégonfler, cette fois. Dans mon esprit, cette histoire devait servir de référence, car je ne pouvais pas concevoir qu'un journal publie un truc racontant les aventures d'un dessinateur de B.D. ! Et j'ai fini par téléphoner à PILOTE, non sans mal : trois fois de suite, j'ai composé le numéro et, quand ça commençait à sonner, je raccrochais !

S. — Restons encore à VAILLANT, où tu as travaillé jusqu'en 70, donc, parallèlement à PILOTE pendant cinq ans.

G. — Ben, la série a encore évolué, elle a changé de titre : en 1967, lorsque le journal est devenu VAILLANT LE JOURNAL DE PIF (VAILLANT écrit en petit dans le gros point de PIF), « Jujube et Gai-Luron » s'est appelé « Gai-Luron » tout court, puis enfin « Gai-Luron ou la joie de vivre ».

S. — Etait-ce une référence à la pièce de Roussin, *Hélène ou la joie de vivre* ?

G. — C'était bien entendu une parodie de ce titre. Je suis alors passé à deux pages hebdomadaires et Gai-Luron a pris tellement d'importance qu'à la même épo-

que, on a créé les GAI-LURON POCHE. Toute cette période qui va de 1965 à 1968 fut pour moi la bonne période de « Gai-Luron » : j'avais vingt gags d'avance chaque semaine, inscrits sur des carnets, je pétillais littéralement, j'étais heureux parce que les vannes étaient ouvertes en grand ! C'est sûrement ce qui m'a aidé à faire *Le gag* et à le présenter à PILOTE. Tout allait bien, je me sentais méchamment en forme, jusqu'au moment où GAI-LURON POCHE est né : j'avais trop de boulot, c'était au-dessus de mes forces. Christian Godard m'a dit alors que son assistant, Dufranne, pourrait collaborer avec moi. Et Dufranne a encré les deux premiers « poche » (il a fait les suivants tout seul), ainsi que les « Gai-Luron » normaux, sur des crayonnés de moi très poussés. Puis mes crayonnés ont été moins poussés. En 69, on a fait les émissions à Europe 1, « Le feu de camp du dimanche matin » ou « Nous on fait de la radio parce que ça nous repose les yeux » (titre génial !). Il me fallait pondre des sketches toutes les semaines. Comme je n'avais plus le temps de tout faire à la fois — radio, « Rubrique à brac », VAILLANT, etc. —, j'ai filé à Dufranne des scénarios dactylographiés sur lesquels il dessinait entièrement « Gai-Luron ». Jusqu'au moment où j'ai complètement arrêté cette série et où Dufranne l'a poursuivie au point où c'en était resté.

S. — Il faut quand même signaler qu'entre-temps, un nouveau personnage était apparu : Belle-Lurette [1].

G. — C'est exact. D'abord, Jujube a disparu, après avoir subi une transformation morphologique : ça me gênait de devoir dessiner ce type, qui était un renard se tenant debout, mais avec des pattes d'animal. Il fallait absolument l'anthropomorphiser. Ce qui m'a permis une série de gags avec Jujube allant chez le chirurgien esthétique [2]. Il y a eu une espèce de suspense au sujet du nouveau physique, mais ça n'a pas suffi pour que le personnage me devienne indispensable, et un jour, il est tombé dans la fosse aux

1. N° 1195 (1968).
2. Nos 1167 à 1172 (1967).

38. Un insecte chasse l'autre

oublis. Belle-Lurette a radiné. Je voulais établir des rapports terriblement ambigus entre elle et Gai-Luron, à la fois amoureux et filiaux. Gai-Luron la tutoyait, mais elle lui disait « vous ». Il était amoureux d'elle et en même temps il se conduisait comme un père. Elle ne l'aimait pas vraiment — enfin, on n'en est pas sûr —, mais elle l'admirait, elle était une petite fille avec lui. J'ai fait des histoires qui, je m'en souviens, avaient posé des problèmes aux gars de la direction ! Pierre Bellefroi, le directeur d'alors, trouvait gonflé d'oser faire certains gags, notamment un gag énorme où Gai-Luron raccompagne Belle-Lurette chez elle, un soir, puis revient se coucher chez lui. Somnambule, il ressort et pénètre par la fenêtre chez son amie et se couche dans le lit à côté d'elle. Elle pousse alors un cri qui réveille Gai-Luron et celui-ci s'étonne : « Dis-donc, Belle-Lurette, qu'est-ce que tu fais dans mon lit [1] ? » Voilà, il y avait cette espèce de rapport marrant. Et pour moi, Belle-Lurette était une naïve, une gamine, une petite fille pure et innocente.

S. — J'imagine que tu devais commencer à recevoir des lettres de lecteurs ?

G. — Un peu, mais quand même beaucoup moins qu'à PILOTE. Les lecteurs de VAILLANT écrivaient plutôt à Pif comme si c'était un copain, et ils lui disaient alors ce qu'ils pensaient de telle ou telle bande. Tu sais, ce qui comptait avant tout, c'était le personnage, pas l'auteur. Ceux qui disaient « Gotlib » ou « Mandryka » étaient déjà des gens plus évolués. Et ces gens-là écrivent rarement aux auteurs, de même que, moi, je n'ai jamais écrit à Brassens. Pour conclure sur ce chapitre, j'ai été heureux à VAILLANT. J'ai beaucoup travaillé pendant cette période, et c'est là que j'ai commencé à raconter mes conneries à moi.

S. — Pensais-tu déjà à d'autres moyens d'expression possibles que la B.D. ?

G. — Non. Je n'écrivais pas, je ne pensais pas au cinéma, etc. Tout ça m'est venu plus tard, du temps de la « Rubrique à brac ».

S. — Et ça, c'est encore une autre histoire : la suite au prochain numéro...

où l'auteur fait le tour de son nombril sans y tomber

Les années passées à VAILLANT (avant d'entreprendre les « Dingodossiers ») sont des années d'apprentissage et d'observation. Apprentissage : c'est la première fois que Gotlib s'attaque à la bande dessinée et il n'imagine pas encore celle-ci comme un moyen de s'exprimer. Il forme sa technique, s'essaie à créer un monde, des personnages. L'idée de sa bande ne vient pas vraiment de lui puisqu'on lui a demandé de reprendre le garçonnet des Editions Lito, et « conseillé » de flanquer un renard dans le coup... Observation : Marcel est doué du regard critique, enregistrant fidèlement et jaugeant tout ce qui se passe autour de lui. Il ne se contente pas d'apprendre les règles de la B.D., en bon élève qu'il fut ; il réfléchit dès le début à ce qu'il étudie, il approfondit et s'amuse à connaître le moindre rouage du genre. C'est le fruit de cette observation critique qui nous sera livré plus tard. Un peu à la manière de Jerry Lewis, acteur débutant, assimilant en secret tous les mystères du plateau, depuis la fonction du dernier machiniste jusqu'à l'activité occulte du producteur, apprenant sans le savoir son futur métier de cinéaste total, créateur complet de ses films [2], de même, Gotlib s'initie aux coulisses du métier qu'il s'est choisi pour plus tard les mettre à nu, jouer avec, voire les malmener (mais est-ce qu'on malmène des coulisses ?). Lorsqu'il se sentira assez mûr — dans VAILLANT déjà —, il se mettra à parodier les grands thèmes de la tradition héroïque. La véritable parodie de lui-même, elle commencera dans la « Rubrique à brac ».

Succès et notion d'auteur

La bande de Gotlib connut un succès moyen, limité au cercle des lecteurs « supérieurs » (je parle de l'âge et du sens critique). Le grand public de VAILLANT a toujours été, de par sa jeunesse et son tempérament, tourné plutôt vers les histoires comiques du style de « Pif », « Placid et Muzo » ou même « Arthur le fantôme ». Le cas de Gotlib, celui de Nikita Mandryka ou celui de Jean-Claude Forest relevaient davantage d'un succès d'estime. C'est d'ailleurs beaucoup plus évident pour Mandryka que pour Gotlib, celui-ci ayant malgré tout un graphisme « rassurant ». Pour Nikita, le problème était nettement supérieur car son dessin déroutait déjà. En fait, il a toujours dérouté. Quant à son esprit, son sens de l'absurde profond et enchanteur, j'imagine qu'il ne devait pas fort enchanter les gamins dévoreurs d'histoires traditionnelles (même chose aujourd'hui, dans PIF, pour Mattioli ou encore le merveilleux Mordillo).

1. N° 1226 (1968).
2. Il faut absolument lire le bouquin de Lewis, paru chez Buchet-Chastel : **Quand je fais du cinéma,** et aussi le remarquable volume, la somme de Robert Benayoun : **Bonjour Monsieur Lewis,** chez Losfeld.

Gotlib n'allait pas aussi loin. Il était quand même une vedette du journal, il plaisait, « Gai-Luron » marchait bien, la vie était devenue facile pour l'auteur, débarrassé des soucis financiers. D'autant plus quand il a commencé dans PILOTE : le principe de la compétition a joué et la direction de VAILLANT s'est brusquement intéressée à lui de très près. A l'époque, les histoires de Gotlib intéressaient assez les responsables pour que ceux-ci acceptent des animations qu'il proposait. Ainsi fut lancé un grand concours : « Habillez Gai-Luron [1] » qui obtint un énorme succès (800 réponses). Le gagnant proposait un costume de Don Quichotte : Gotlib en tira une histoire spéciale en deux pages, *Gai-Lurchotte de la Manche* [2], où le nom du gagnant figurait à titre de « costumier ». Hors ce concours, il arrivait encore assez peu de lettres, Marcel nous l'a dit tout à l'heure. Là se mesure l'évolution considérable et récente de la notion d'auteur dans le royaume des petits Mickey, cette notion dont il nous parle en fin d'interview du cinquième chapitre. Un journal comme VAILLANT-PIF n'a pratiquement jamais favorisé l'éclosion d'un esprit de cette sorte : quand il n'était pas confiné dans l'anonymat, l'auteur devait s'effacer derrière son personnage. Cause de l'hémorragie de talents dont souffre ce journal depuis le début. Mais le problème n'était évidemment pas le privilège du seul VAILLANT. Toute la presse franco-belge de B.D. a très longtemps méconnu la qualité de ses collaborateurs, contribuant à maintenir un art authentique à son plus bas niveau de délassement un peu bête, honteux, inavouable. Une véritable politique d'auteurs n'existe que depuis quelques années, beaucoup grâce à Goscinny : lui, par sa personnalité, son action persistante, par sa gloire aussi, a fini par sortir la B.D. de son ghetto et il a déculpabilisé bien des créateurs jusqu'alors mal conscients de leur valeur, donc de leurs possibilités. Pour Gotlib par exemple, c'est Goscinny le facteur de ses progrès. A VAILLANT, comme partout ailleurs en cette époque d'obscurantisme (la B.D. est passée aux temps modernes vers les années 65), il n'était pas question de laisser des auteurs s'exprimer. On visait en priorité la distraction des enfants, rien de plus. Qu'un type ait du talent et le besoin de s'affirmer, cela importait peu. Et les bandes dessinées se faisaient parfois au détriment d'une vraie création. Combien de fois Marcel a-t-il entendu : « Attention ! vous oubliez que vous vous adressez à tels ou tels lecteurs », ou : « Les lecteurs ne vont pas comprendre ça ! », ou : « Vous allez traumatiser les lecteurs ! » Il cite l'exemple d'une planche mettant en scène un ogre aux dents curieusement carrées [3] : elles étaient effectivement pointues, ces dents, au départ, mais il a été jugé bon de goucher les images « dangereuses », propres à « choquer » la jeunesse ! Avec Goscinny, au contraire, l'artiste a pu s'épanouir sans (trop de) contraintes. La clairvoyance de ce monsieur, son grand flair, lui ont permis de déceler des valeurs sûres et de les pousser au cul comme jamais personne avant lui ne l'avait fait. C'est pour cette raison que PILOTE a été une des pépinières de la nouvelle B.D. française, donc de « l'âge d'or » actuel. Et les autres journaux, maintenant

encore, il faut bien le dire, n'ont pas tous compris la leçon. Cela dit, Gotlib ne garde nulle rancune à son premier journal, et il a bien raison : compte tenu de ce que je viens de dire et qui était le fait de l'époque, la maison VAILLANT fut pour lui une bonne maison, la période VAILLANT une bonne période, et VAILLANT reste dans l'Histoire comme un très grand journal.

L'absurde et le débile

L'esprit d'ensemble de « Gai-Luron » correspondait à ce qu'on appelle maintenant la « débilité ». Graphiquement, c'était propre, fini, conforme à la ligne de l'école franco-belge. Mais dans les scénarios, il y avait déjà cet aspect débile, déconnant, qu'on retrouvera systématisé dans la « Rubrique à brac ». Gotlib consacrait souvent deux pages à des sujets sans importance, loufoques au dernier degré, pour le seul plaisir de rigoler : par exemple, le gag sur le coucou [1]. Fortement teinté d'absurde, déjà, le monde de Gotlib prend doucement tournure. Pas un absurde lewis-carrollien, tel celui de Mandryka : un absurde plutôt gratuit, verbal, dans la continuité de Groucho Marx. Le « Traité du yoga [2] », selon ce principe de déconnage, annonce quelque peu la rubrique de PILOTE où Tarzan s'initie à la pratique de la décontraction [3].

Absurde, mais solidement charpenté, le monde de Gotlib est d'emblée sérieusement élaboré. Le langage y est important, jamais superficiel. Avez-vous remarqué qu'il n'y a souvent pas de point à la fin d'une réplique ? Eh bien, c'est ici que Gotlib commence à le faire, afin de laisser la phrase en suspens, de lui donner un tour anodin, quotidien. Egalement ici, plus fréquente, l'habitude de ne pas mettre de point d'exclamation dans les textes de Gai-Luron : étant donné qu'il ne s'exclame en principe jamais, ce chien flegmatique, il ne faut pas tromper le lecteur, donc, ne pas mettre de point d'exclamation ! (et un autre en prime : !). Il y a comme ça toute une série de petits systèmes, des codes à usage interne que l'on ne perçoit pas toujours consciemment, mais que l'on ressent au milieu d'un ensemble. Car tout le monde le sait, Gai-Luron ne devait pas céder à la passion, ni crier, ni jurer, ni rire. Bien sûr, ça lui est arrivé, mais chaque fois dans une intention précise. Et s'il rit à sa première apparition, c'est pour confirmer la règle future, l'établir ! Gai-Luron est resté dans l'histoire comme « le chien qui ne rit jamais ». A l'instar de Buster Keaton, son pendant humain et cinématographique, le grand Buster que l'auteur admire et à qui il rend un hommage discret.

Le sens de la parodie

A VAILLANT, Gotlib entreprend son désamorçage amical des thèmes chers à l'enfance, puis il s'attaque aux

1. Nos 1178 à 1180 (1967).
2. No 1189 (1968).
3. **Prince Gai-Luron** (no 2), no 1132 (1967).

1. No 1094 (1966).
2. No 1138 (1966) et album « Gai-Luron », sous le titre : **Traité du yoga**.
3. « R.A.B. », no 515 (1969) et album no 2.

39. « Chanson aigre-douce »

par gotlib

Le temps passe. Je garde la chèvre tous les jours. C'est une compagnie agréable.

Il fait toujours aussi beau. De temps en temps, bien sûr, il pleut un petit coup, mais c'est une ondée printanière. Et pas cet orage dont tout le monde parle.

Alors, la chèvre et moi, on rentre en vitesse. Mais cette idiote s'arrange toujours pour entortiller sa chaîne autour d'un poteau télégraphique. Et on prend la sauce.

♪ LEBLÉSMOUTI LABISCOUTI OUILEBLÉSMOU LABISCOU ♪
c'est l'orage dehors au loin mais dans l'étable je suis bien silence obscurité chaleur ♪

Les poules, les lapins et les chèvres se couchent de bonne heure. On dîne tôt, à la campagne.

Et après, il n'y a plus rien à faire. Alors, le père Coudray me dit d'aller jouer un peu dehors, en attendant l'heure d'aller au lit.

Mais les poules et les lapins dorment déjà. Alors moi, qu'est-ce que je fais? Je vais retrouver la chèvre dans l'étable, pour lui chanter ma comptine.

♪ LEBLÉSMOUTI LABISCOUTI OUILEBLÉSMOU LABISCOU ♪
c'est l'orage dehors au loin mais dans l'étable je suis bien silence obscurité chaleur ♪

Dans l'étable il n'y a pas de bruit. Il fait noir. Il fait bien chaud. Je m'asseois dans la paille, à côté de la chèvre.

Je lui chante ma comptine. Elle semble assez l'aimer. Elle a un long bêlement discret et admiratif.

BÊÊÊÊÊ

Je lui caresse le museau. Et doucement, elle m'embrasse au creux de la main.

♪ LEBLÉSMOUTI LABISCOUTI OUILEBLÉSMOU LABISCOU ♪
c'est l'orage dehors au loin mais dans l'étable je suis bien silence obscurité chaleur ♪

C'était en l'an de grâce 1942. L'orage a duré longtemps, mais moi, douillettement niché au fond d'une étable, bien au chaud et caressant un museau de chèvre, je m'en fichais bien.

A LEBLÉSMOUTI LABISCOUTI OUILEBLÉSMOU LABISCOU

Aujourd'hui, en l'an de grâce 1969, j'ai enfin compris la comptine. Ça voulait dire:
LE BLÉ SE MOUD-IL? L'HABIT SE COUD-IL? OUI, LE BLÉ SE MOUD, L'HABIT SE COUD.
J'ai également compris l'orage. ♪

En l'an de grâce 1977, ma fille aura à son tour huit ans. J'espère alors qu'il n'y aura pas d'orage.

BÊÊÊÊÊÊ

Pour qu'elle puisse avoir, de son enfance, autre chose qu'une comptine, autre chose qu'un museau de chèvre, tiède et humide, dans le creux d'une paume, au fond d'une étable obscure, comme souvenir à se mettre sous la dent..

.. en l'an de grâce 2004, quand elle aura 35 ans.

40. « Méditez la leçon »

thèmes propres à la B.D. Chansons et comptines sont implacablement traquées, comme dans *Gai-Luron va-t-au marché*[1] ; fables, contes et récits féeriques sont mis à rude épreuve, comme dans *Gai-Luron et le pot au lait*[2] ou *Le Chaperon rouge*[3]. Plus profonds, les gags sur le gag, les farces sur les farces prennent ici naissance : *Le Chaperon rouge* annonce, par le jeu des masques, la rubrique de PILOTE sur les plaisanteries zoologiques[4], entre autres, et *Le mystère de la grande pyramide*[5] est une extraordinaire variation sur un thème « débile ». Il y a naturellement la fameuse série des pastiches où Gai-Luron interprète le rôle de quelques héros célèbres de la mythologie moderne et de la bande dessinée, en prélude à la « R.A.B. » : Tarzan, Zorro, Robin des Bois, Surcouf, Don Quichotte, Prince Valiant, Nasdine Hodja et le Concombre masqué de Mandryka ont fait crouler de rire les lecteurs de VAILLANT[6] !

Chacun de ces pastiches faisait preuve d'une incontestable maîtrise. Je retiens plus spécialement celui de Nasdine Hodja, héros de VAILLANT devenu pour la circonstance Gai-Lur'Hodja. Gotlib s'y est amusé à expérimenter à sa manière le bien connu « effet Koulechov ». Lev Koulechov, promoteur du cinéma soviétique, est surtout resté dans l'histoire du septième art grâce à sa série de « films sans pellicule » (1921-1922), courts métrages expérimentaux dans lesquels des photographies fixes savamment montées lui permettaient diverses recherches et effets spéciaux. Notamment, dans l'un de ces essais, il avait tenté la modification apparente d'une expression invariable en montant un plan de l'acteur Ivan Mosjoukine successivement avec un enfant, une femme dans un cercueil et une assiette de soupe. Visionnant ces images, le spectateur projetait son impression subjective sur le visage fixe de Mosjoukine et celui-ci paraissait en effet éprouver tour à tour la tendresse, la tristesse et la faim. Avec Gai-Lur'Hodja, Gotlib reprend le procédé, l'amplifie, plaçant un immuable gros-plan de Gai-Luron en diverses situations (ill. 37). Et le commentaire accentue le décalage-assimilation qui s'opère. Cinéphile averti, Marcel connaissait évidemment cet « effet Koulechov ». Mais il faut préciser que la parodie s'en trouve aussi dans MAD, quand Jack Davis met un Elvis Presley figé dans six contextes successifs — émotion, hystérie, drôlerie, etc. — exprimés par la foule dans la salle.

1. Nº 1183 (1967) et album « Gai-Luron ».
2. Nº 1104 (1965) et album.
3. Nº 1107 (1965) et album.
4. « R.A.B. », nº 440 (1968) et album nº 1.
5. Nº 1233 (1969) et album « Gai-Luron ».
6. **Gai-Lorro**, nº 1111 (1966) ; **Gai-Lurzan, seigneur de la jongle**, nºs 1119, 1123 (1966) et 1141 (1967) ; **Prince Gai-Luron**, nºs 1126 (1966, 6 planches) et 1132 (1967) ; **Gai-Lurobin-des-Bois**, nºs 1149 et 1150 (1967) ; **Gai-Lurcouf**, nº 1153 (1967, 6 planches) ; **Le Gai-Lurombre masqué**, nº 1174 (1967) ; **Gai-Lur'Hodja**, nº 1178 (1967, 5 planches) ; **Gai-Lurchotte de la Manche**, nº 1189 (1968).

L'arrière-boutique de Mickey, ou la B.D. dans la B.D.

Donc, Gotlib se met très tôt à jouer avec les rouages de la bande dessinée. Gai-Luron s'adressait au lecteur, échangeait avec lui et quittait sa position lointaine de « personnage » pour devenir un interlocuteur, un complice. L'exemple le plus immédiat est la longue correspondance échangée avec « Jean-Pierre Liégeois, jeune lecteur du Var », à partir de laquelle Jujube et Gai-Luron échafaudèrent une série de gags qui s'est poursuivie longtemps. Le jeu consistait pour Marcel à varier chaque fois l'amorce du gag, en ne dévoilant pas complètement ou en déformant le nom du correspondant. Ainsi de celui où Jujube déclare respecter l'anonymat d'un jeune ami « qui nous écrit du pays du soleil : le Var. Il a préféré taire son nom et signe « J.P.L. » »[1]. Ainsi de cet autre où Gai-Luron lit une enveloppe : « Aujourd'hui, une lettre de Sioegeil Erreip Naej », et s'aperçoit qu'il la tient à l'envers[2]. Le plus marrant de l'histoire est que Jean-Pierre Liégeois existe en vérité et habite réellement dans le Var. Marcel le connaît bien : c'est son beau-père ! Private-joke de la meilleure veine, bien sûr, mais nullement gratuit : « Jean-Pierre Liégeois » est un nom qui sonne tout à fait comme celui d'un petit garçon ! Gai-Luron se servait parfois de ce correspondant pour donner des conseils pratiques pas toujours destinés à des enfants, dans l'optique du journal. Une fois, il expliquait « comment s'amuser à Paris » (tirer les sonnettes, se moquer des commerçants, etc.), et à la fin, une secrétaire venait annoncer la présence d'un certain Liégeois. Tout le monde se réjouissait de connaître enfin ce charmant petit garçon, l'invitant à entrer avec beaucoup de prévenance. Et Gai-Luron se trouvait face à ses rotules : il s'agissait bien de Liégeois, mais du père, Célestin, qui venait les engueuler de donner de mauvais conseils aux enfants[3] ! Systématiquement, toutes les deux ou trois semaines, Gotlib mettait en scène le « jeune lecteur du Var », inaugurant ainsi le principe du « running gag », dont il usera largement dans la « R.A.B. », surtout avec Isaac Newton.

Non seulement Gai-Luron recevait du courrier, mais il était officiellement un collaborateur du journal VAILLANT, avec bureau, secrétaire et rédacteur en chef (le même que celui de Gotlib, d'ailleurs). Ce dernier, on l'a vu apparaître dans la bande Le Chaperon rouge, pour fustiger l'incurie de Gai-Luron, tel ce tyrannique directeur de « Polite » se plaisant à martyriser un collaborateur nommé Achille Talon. Le système n'est certes pas une invention de Gotlib : ça existait dans « Spirou et Fantasio », dans « Achille Talon », pour ne citer que ceux-là. Marcel avoue avoir été, à cette époque, un peu influencé par Greg. Le fait d'assimiler son personnage à l'équipe du journal vient de lui, de même que celui d'accumuler les phylactères.

La pléthore de ballons, Gotlib l'a d'abord trouvée dans MAD, puis dans « Talon » et, comme ça convenait à son tempérament, il l'a adoptée... Officialiser l'existence de Gai-Luron en tant que pilier de VAILLANT, c'est une façon d'accentuer le rapport personnage-lecteur, de mettre celui-ci dans la confidence, de former en quelque sorte une « famille » étendue. Un gag qui avait produit une grosse impression est celui où Gai-Luron se « défoule » et finit par marcher vers le lecteur en déclarant : « Le rédacteur en chef du journal de Pif est un galopin »[4] : ça crée une complicité dont les lecteurs sont friands. Ils ont de la sorte le sentiment

d'entrer dans les coulisses du journal, d'en faire eux-mêmes partie. C'est un peu le principe du private-joke, mais à grande échelle, en mettant tout le monde dans le coup. Et pour l'auteur, c'est une forme de distanciation déjà chronique et qu'il ne cessera de mettre en pratique tout au long de sa carrière.

Autre distanciation, flagrante, celle-là : la souris, bestiole venue en coin d'image compléter ou récuser le gag, faisant son numéro indépendamment du thème général ou se moquant des personnages. Il lui est même arrivé de vivre des pages en solitaire, comparse promu héros par la faveur du public : devant le succès remporté par cet animal, la direction du journal avait commandé à Gotlib une série supplémentaire avec la souris en vedette. Mais il n'a pu que l'amorcer, faute de temps. Avec Gai-Luron et son monde, la souris s'établissait en élément extérieur pour distancier l'auteur de ses créatures. Elle servait de jonction entre les personnages et les lecteurs et, en même temps, elle apportait un second degré au gag, soit en l'amplifiant, soit en le désamorçant. Vivant sa petite aventure dans son univers parallèle, elle affirmait également la technicité acquise du dessinateur, car il faut parvenir à un certain degré de virtuosité pour jouer ainsi sur plusieurs plans, quelquefois antagonistes. Dans Contons fleurette[1], alors que Gai-Luron flirte (?) avec Dolly, la petite bête se démerde toute seule, personnifiant l'Amour, envoyant ses flèches, de-ci de-là, subissant un tas de mésaventures irrésistibles. A tel point que le gag principal finit par passer au deuxième plan, l'attention se concentrant évidemment sur l'action discrète mais captivante de la « figuration ». D'ailleurs, les lettres ont commencé d'affluer, donnant la préférence à la souris sur les protagonistes de la bande. Ce que commente ainsi Marcel : « Au bout d'un moment, ça a commencé à me faire chier. Tu comprends, je passais un certain temps à mettre sur pied mon gag hebdomadaire et, une fois que je l'avais trouvé, à le dessiner. Alors seulement, j'introduisais la souris, n'importe comment. Et les gens se sont braqués sur elle davantage que sur le gag où je m'étais cassé la tête ! »

C'est comme ça qu'il lui arrive de piquer des colères et de faire des mises au point : Contestation[2] ou Recyclage[3] par exemple, deux gags très importants sur bien des points. Dans le premier, Gai-Luron va se plaindre auprès du dessinateur que la souris l'embête. A cette occasion, Marcel se dessine lui-même, mais encore partiellement (on ne voit jamais sa tête). Pour rejoindre son créateur, le chien emprunte le chemin de l'encrier, ce chemin par lequel, plus tard, Fred surgira, père idéal du Matou matheux. Dans le deuxième gag, comme les lecteurs semblent lui préférer la souris, Gai-Luron se met en grève et quitte la bande. Restée seule, la bestiole déconne passablement puis s'endort, à la manière du chien qu'elle vient de chasser. Apparaît à côté d'elle une coccinelle — oui, déjà ! — qui se met à faire ce qu'elle-même faisait avec Gai-Luron (ill. 38). On tombe alors dans un savoureux troisième degré paraissant annoncer que la souris peut très bien être à son tour supplantée par un nouvel élément : jeu cruel sur l'existence des personnages de bandes dessinées,

1. Nº 1131 (1966) et album « Gai-Luron », sous le titre : **Conseil qualifié.**
2. Nº 1154 (1967) et album, sous le titre : **Un fin diseur.**
3. Nº 1125 (1966).
4. Nº 1133 (1967).

1. Nº 1145 (1967) et album « Gai-Luron ».
2. Nº 1136 (1967) et album « Gai-Luron ».
3. Nº 1152 (1967) et album.

par ailleurs repris dans un « Cubitus » où Dupa fait aussi intervenir une souris (le monde de Cubitus n'est d'ailleurs pas sans présenter de nombreuses analogies avec celui de Gai-Luron). C'est un signe qui ne trompe pas : à partir du moment où Gotlib introduit à l'intérieur de sa bande un élément qui va détourner l'attention, cela signifie que sa bande ne lui suffit plus, qu'il a besoin d'autre chose. Le procédé n'est pas neuf : des animaux « marginaux », on en trouve dans « Pogo », de Walt Kelly, dans MAD aussi. Mais Gotlib est le premier à le systématiser, à le charger d'un contenu aussi personnel. Cette souris est naturellement l'ancêtre de la coccinelle de la « R.A.B. » (à moins que ce ne soit la coccinelle de *Recyclage* ?), puis de Momo le morbaque, nouveau venu de L'ÉCHO DES SAVANES. Il est infesté de petites bêtes, Marcel ! En fait, dès le début, il n'était pas doué pour la B.D. traditionnelle, l'aventure, les histoires à suite : il lui fallait établir un rapport d'intimité avec le lecteur et se mettre personnellement dans le bain.

Le syndrome de Jekyll-Hyde

Ses histoires, elles sont presque toujours vécues ou imaginées telles (vécues « par la bande »). Comme par hasard, Gai-Luron établit avec les femmes un rapport ambigu, amoureux et paternel à la fois. Le côté « papa » de cet animal est intéressant dans la mesure où Gotlib projette en lui ses aspirations. Nous avons parlé de ça dans l'entretien qui précède : la dualité Jujube-Gai-Luron est ressentie par l'auteur comme deux visages de lui-même... « Racine peint les hommes tels qu'ils sont, et Corneille, tels qu'ils devraient être », c'est ce qu'on nous a naguère enseigné au milieu d'un tas d'autres salades de la même veine. Marcel fait sienne la docte sentence : Jujube est celui qu'il est, Gai-Luron, celui qu'il voudrait être. Manifestation de ce que j'appellerai son « syndrome de Jekyll-Hyde » ! Ici, Jekyll, c'est Racine, c'est Jujube, Hyde étant Corneille et Gai-Luron, mais un Hyde plus réussi que celui de Stevenson, un Hyde qui évoque assez celui de Jerry Lewis, dans *Nutty professor*. Allez vous étonner, après ça, que Jujube ait un jour disparu de la circulation ! C'est que Gai-Luron a triomphé du Jekyll par trop ressemblant : réflexe normal de Gotlib pour exorciser son angoisse. En effaçant le miroir fidèle... C'est un peu vers la même époque qu'il s'est détaché de sa bande et qu'il s'est envolé vers un nouveau continent à explorer : lui-même, vu de l'intérieur.

41. « La boule »

troisième épisode :
à pilote,
l'enfant au pouvoir
(sous le regard de papa)

Mais bon dieu, arrête de me regarder comme ça avec tes yeux noirs
de petite vache, j'ai l'impression
d'être un train fou qui fonce
dans le noir vers le ravin.
Baisse les yeux que je te dis !...

Il y a quelques jours, la boule a
repoussé. Faut que je retourne voir
un toubib. Diantre, fichtre, foutre.

gotlib parle

SADOUL. — Tu as commencé à raconter comment tu as dessiné *Le gag* [1], et que tu l'avais porté à PILOTE. Que s'est-il passé, alors ?

GOTLIB. — J'ai été reçu par Jean-Michel Charlier, à l'époque co-rédacteur en chef de Goscinny. Je lui ai expliqué que ce *gag* était un exercice de style destiné à donner une idée de ce que je faisais, une simple référence. Enfin, j'ai bredouillé un tas d'explications parce que, dans mon esprit, ce truc n'était pas publiable. Or, ils préparaient justement un numéro « spécial B.D. », et n'avaient pas leur traditionnelle histoire en six pages à mettre au milieu : ce que j'apportais collait exactement avec le sujet et faisait six pages. Je suis rentré fou de joie à la maison et j'ai annoncé la grande nouvelle à Claudie. PILOTE, c'était le rêve de tout dessinateur ! Entre-temps, un numéro spécial devait paraître avant le « spécial B.D. », et il y manquait une page. Goscinny m'a demandé de la faire : c'est ainsi que j'ai fait *Le confetti*, après *Le gag*, mais la première page de moi publiée dans PILOTE [2]. Et puis j'ai proposé *Les grands moments historiques de la farce*, une histoire en six planches qui est parue en deux fois [3]. J'aimais beaucoup cette bande-là et on en a repris quelques thèmes dans l'émission radio « Le feu de camp du dimanche matin », à Europe 1. Donc, nous sommes vers février 1965. Le mois suivant, Goscinny me dit : « Est-ce que ça vous intéresserait qu'on fasse une rubrique ensemble ? » Quelle question ! Qui aurait refusé une proposition pareille ? Il m'a expliqué son idée : faire une rubrique traitant de tout et de n'importe quoi, un peu à la manière de MAD, et il a ajouté : « J'aimerais bien qu'on ne travaille pas de la même façon que d'habitude. Je ne vous livrerai pas de scénarios mais on se verra souvent, on cherchera des idées ensemble et on fera tous les deux la mise en pages : j'écrirai les textes directement sur la feuille et vous y mettrez le dessin. » Au départ, donc, son idée était que l'on collabore très étroitement. De toute façon, moi, j'étais d'accord pour tout ! Il voulait même que je travaille sur papier tramé (un révélateur fait apparaître une trame légère et un second révélateur, une trame plus forte), ce qu'on a fait pour les six premiers épisodes. Mais j'ai renoncé à ce procédé qui ne me convenait pas, que je ne savais pas utiliser correctement. En dehors du trait et de la plume, moi, tu sais... Goscinny a trouvé le titre de notre rubrique : « les Dingodossiers », et on s'est mis à bosser comme il le souhaitait. On a cherché ensemble le sujet du premier épisode, *Le play-back* [4] et on l'a réalisé tous les deux sur une grande feuille double de mise en pages du journal (Goscinny écrivant son texte sur place, et moi, surajoutant à la maison mes dessins). Mais on s'est vite rendu compte que ce procédé n'était pas pratique et on a fini par revenir à la formule traditionnelle : il m'a filé des scénarios tapés à la machine. J'étais heureux de procéder ainsi, mais un petit détail

m'a un peu gêné, tout en me faisant beaucoup de bien : Goscinny me demandait des choses que je n'aimais pas dessiner (bagnoles, usines, paysages, etc.), donc des choses que j'aurais évitées si j'avais fait moi-même mon scénario. Inutile de te préciser que, dans la « Rubrique à brac », j'ai supprimé tout ça ! Mais ça m'a obligé à chercher de la documentation, à vaincre des obstacles graphiques et techniques que je n'aurais même pas songé à rechercher si j'avais été seul. Comme l'a si bien dit Lao-Tseu : « C'est dans l'effort que l'homme trempe son caractère, comme le pain dans la soupe. » Quand la rubrique est parue, pas mal de gens ont été déconcertés ; ils n'étaient pas habitués à ce style de B.D. basé sur l'absence totale de héros et d'histoire...

S. — Aucun principe de départ ne vous guidait ?

G. — Le seul principe, si tu veux, était la satire, une déconnade de deux pages sur un sujet donné, une espèce d'exercice de style humoristique avec variations à partir d'un thème. Les premières rubriques étaient ratées, mal dessinées, en partie à cause du papier tramé. Et puis aussi, je ne me laissais pas aller, j'étais crispé parce que je voulais trop bien faire, je voulais être à la hauteur du scénariste. D'ailleurs, chaque fois que je veux trop bien faire, je fais mal ! Je me suis rendu compte de ça après coup. Et puis, le premier mouvement d'étonnement passé — surtout chez les collègues —, la série a tout de même accroché au bout de trois ou quatre mois.

S. — Avez-vous trouvé facilement le ton ?

G. — Oui. Pour Goscinny, en tout cas, c'était facile puisque ça venait à la suite de « La Potachologie », qu'il faisait avec Cabu. On a collaboré pendant deux ans et demi et on a fait cent dix « Dingodossiers ». Plus toutes les pages que j'ai faites seul, texte et dessin, mais qui étaient placées sous le signe des « Dingodossiers ». C'était : « Les Dingodossiers présentent... » et suivait une histoire de moi. Dans ce cadre, j'ai notamment fait une série avec l'élève Chaprot dont le texte était écrit à la manière d'un texte d'enfant, bourré de fautes d'orthographe.

S. — Comment se passait votre collaboration ?

G. — On se voyait toutes les semaines : je lui remettais mes planches terminées et il me donnait en échange le scénario des suivantes. En plus, on se rencontrait de temps en temps pour chercher ensemble de nouveaux sujets, pour établir des listes. Il faut dire qu'il a trouvé beaucoup plus de sujets que moi.

S. — Est-ce qu'il t'arrivait de transformer les scénarios de Goscinny ?

G. — Je les respectais à la virgule près, non par peur de « trahir », mais pour me mettre — peut-être bêtement — au service de Goscinny. En tant que dessinateur, je refaisais mes classes : les « Dingodossiers » sont à la « R.A.B. » ce que « Nanar et Jujube » étaient à « Gai-Luron ». Je réapprenais vraiment la technique, je dessinais des choses nouvelles pour moi.

1. Nº 283 (1965).
2. Nº 280 (1965).
3. Nºs 284 et 288 (1965).
4. Nº 292 (1965).

D'autre part, c'était la première fois que je travaillais sur le scénario d'un autre : il n'était pas question que je me mette à broder, surtout sur des textes de Goscinny !

S. — Et tu te pliais sans difficulté à ses directives ?

G. — Au début, il y a eu deux ou trois trucs à mettre au point, des détails qui ne lui convenaient pas tout à fait. Jusque-là, j'avais surtout dessiné pour de jeunes enfants. Et brusquement, je m'adressais davantage à des adolescents, avec en plus le label « MAD » en

crois, d'un manque d'expérience technique, puisque maintenant j'outre mes dessins mille fois plus qu'à cette époque-là et c'est moins gênant.

S. — Dans PILOTE, la rubrique passait en grisé, ce qui n'était pas très heureux. Mais dans le premier album de la série, quelqu'un a eu la malencontreuse idée d'ajouter une couleur : le résultat est encore moins heureux !

G. — Pour l'album, c'est une initiative prise au niveau de la fabrication. Mais je suis d'accord avec toi : ni

42. Dessin de Claire Bretécher

arrière-plan. Alors, j'avais une certaine tendance à donner dans l'horrible, mais l'horrible mal assimilé. Je n'aime pas mes premiers « Dingodossiers », parce que c'était de la mauvaise vulgarité, en regard de ce que j'ai fait par la suite, qui était, disons, de la vulgarité de « bon aloi ». Dessiner les gens, par exemple, les visages ou les attitudes corporelles, j'ai toujours été à l'aise là-dedans. Mais techniquement, le rendu était moins bon à cette époque-là que maintenant : même si l'expression était juste, le résultat était quand même passablement désagréable. C'est du moins ce que je ressens en voyant mes premières rubriques. Et sans doute Goscinny l'avait-il ressenti, sans pouvoir le formuler clairement, puisqu'il m'avait dit : « Il ne faudrait pas trop outrer ». Il avait donc bien senti que quelque chose clochait. Et ça venait simplement, je

le grisé, ni la couleur ne sont satisfaisants. La rubrique aurait gagné à passer en noir et blanc.

S. — Financièrement, comment s'organisait votre collaboration : est-ce que tu payais ton scénariste ou bien Goscinny payait-il son dessinateur ?

G. — Ni l'un, ni l'autre : c'est la maison Dargaud qui faisait la répartition des droits. Elle paie une planche en départageant toujours la part du scénario et la part du dessin. Quand je suis entré à PILOTE, je touchais 320 F par planche, soit 250 F pour le dessin et 70 F pour le scénario. Pour les « Dingodossiers », je facturais donc ma planche 250 F et Goscinny se débrouillait de son côté pour son travail de scénariste. J'imagine qu'il devait toucher plus de 70 F. Ensuite, pour les albums, c'est différent, il y a plusieurs principes. Moi, je suis partisan du 50/50 qui me paraît normal puisqu'il n'y a plus de travail à fournir : la différence sur le plan du travail fourni a été marquée lors de l'achat de la planche. Pour un album, il s'agit donc d'une simple exploitation et moitié-moitié me semble le meilleur principe. Mais pour le deuxième « Dingodossiers », où j'ai fait des histoires tout seul, Goscinny a tenu à me donner deux tiers des droits, parce que c'est un type extrêmement honnête et scrupuleux. Pour en revenir à cette période de PILOTE, ce fut pour moi une époque formidable, en dépit du boulot que j'avais. Ça a duré en gros de 1965 à 1967. La fin des « Dingodossiers » a pratiquement correspondu à la sortie du premier album.

S. — Pourquoi et comment cela s'est-il terminé ?

G. — C'est Goscinny qui a décidé d'arrêter car il était surchargé de boulot : ses trois séries habituelles — « Astérix », « Iznogoud », « Lucky Luke » —, son travail de rédacteur en chef de PILOTE, les dessins animés qui étaient en préparation. Il était vraiment débordé. Il est aussi possible que finalement la veine ait été un peu tarie. Quoi qu'il en soit, il m'a dit :

« J'ai trop de travail, arrêtons-nous », et il a ajouté (je crois que c'était sincère) : « Je pense que vous pouvez faire quelque chose tout seul. » Il ne m'a pas ouvertement dit qu'il ne voulait plus me monopoliser alors que j'avais des trucs à faire, mais il devait un peu le penser. Les « Dingodossiers » étaient une très bonne expérience. Mais tu sais, il est agréable de tout faire du moment qu'on prend du plaisir à le faire. Là où ça devient emmerdant, c'est quand on fait des corvées ! Comme dirait La Palice... D'ailleurs, au moment d'arrêter la série, je me souviens que Goscinny m'a dit : « Quand on ne sent plus un truc, c'est inutile de s'acharner à vouloir le continuer. » N'empêche que, quand je n'ai plus senti la « R.A.B. », il m'a pourtant poussé à la continuer au maximum. C'est normal, c'est son boulot. Et puis, je le répète, je voudrais bien connaître quelqu'un qui n'est pas pris dans un réseau de contradictions !

S. — Et nous allons tourner cette page avant d'entamer le prochain chapitre de tes exploits.

G. — O.K. boy !

les années-respiration

Voici un chapitre qui ne sera pas long, dans la mesure où les « Dingodossiers » concernent surtout René Goscinny, scénariste et principal inspirateur de la série. Inspirateur de Gotlib également, pour qui cette période est un réapprentissage, l'acquisition d'un nouveau style, la maturation d'une technique. Avec Goscinny, notre ami s'initie vraiment à la B.D. d'auteur, il s'imprègne d'excellents principes sur lesquels naîtra la « Rubrique à brac ».

Une thématique bien assimilée

Goscinny et Gotlib ont une grande parenté de vues, de goûts et d'humour. Leur rencontre fut bénéfique puisqu'il en est sorti une savoureuse série. Elle sut d'autre part fabriquer un monde d'où les thèmes futurs sont en grande partie venus : les animaux, le langage des enfants et les langues étrangères, les héros mis à mal, les critiques des divers moyens d'expression et de la B.D., Tarzan, les contes et les fables, les études sur le comique, sur le gag, l'esprit du jeu et de la déconnade... tout ça figure dans les « Dingodossiers » ! Le premier thème, le plus important, c'est celui des enfants et ce qui en découle : école, profs, famille, parents, jeux, trucs et conseils pratiques. Dans le même registre, contes de fées et littérature enfantine, farces, gags et poissons d'avril... Au fil de ces pages, une figure se dessine : celle de « l'élève Chaprot »[1],

personnage à la fréquence épisodique, avec son environnement familial, scolaire, son intimité, ses rêves. Tout ce qui se rattache à ce thème des enfants, bien que déjà sensible dans VAILLANT, est ici mis en place, systématisé. Et il en va de même pour les sujets concernant le Français moyen, ses petits bonheurs et ses menus tracas, ses voyages, sa vie quotidienne et ses moments d'exception. Lié à ce thème, celui des fêtes, familiales ou officielles, la bouffe et la rigolade en société, ainsi que celui des étrangers et des migrations : touristes en France, leurs rapports avec l'indigène, ou Français visitant d'autres pays. C'est un genre où l'auteur emploie un système dont Gotlib se souviendra : les jeux du langage. Enfin, dans les « Dingodossiers », la critique du cinéma, de la télé, du cirque, du spectacle en général, et aussi de la mode, ses règles et ses travers : Gotlib a consolidé là son aptitude à la parodie. En ce sens, les « Dingodossiers » sont à l'origine des pages d'actualité de PILOTE, commencées en 1968 : les auteurs y prenaient un sujet dans le vent et le décortiquaient à leur manière, sans d'ailleurs la moindre once de méchanceté.

Gotlib en solitaire

Mais n'oublions pas que Marcel a débuté à PILOTE avec des bandes de son cru (le tout de son cru) et qu'il a continué, parallèlement aux « Dingodossiers », à livrer un certain nombre de planches « en solitaire ». Sa première tentative (la deuxième publiée) est Le gag, histoire débitrice à cent pour cent de MAD et posant d'emblée le principe numéro un de Gotlib : l'autocari-

1. Le nom apparaît pour la première fois dans **Les profs populaires,** PILOTE, nº 313 (1965) et album nº 1 ; le personnage lui-même fait son apparition dans **Vive le roi,** nº 376 (1966) et album nº 1.

cature, la B.D. dans la B.D. Suivent dans la foulée les deux parties des *Grands Moments historiques de la farce,* où se dessinent en filigrane les fondements de la future « R.A.B. » : démystification de la « grandeur », de certains personnages historiques, de la notion de « héros », sens déjà magistral de l'absurde et de la dérision, narration elliptique extraordinairement efficace, débilité avouée comme postulat de base. C'est d'autre part dans cette histoire que naît le personnage clé de la « R.A.B. » : Isaac Newton, démontrant à l'Académie des sciences sa théorie de la chute des corps — pas de la gravitation universelle — et ne recevant à cette occasion strictement rien sur la tête ! C'est au contraire lui qui appuie sa démonstration d'un lâcher de boule puante du meilleur aloi. Un personnage familier montre également le bout de sa moustache dans les rubriques en solitaire de Gotlib : Georges Brassens, dans *Guitare-gadget*[1] et dans *Intermède folklorique*[2], celle-ci faisant d'ailleurs intervenir Antoine et la chanson en général...

Pendant les « Dingodossiers », Marcel a de plus produit une série de longues histoires mettant en scène l'élève Chaprot, son prof Madeline, son camarade Raffray, la sœur de celui-ci. M. Madeline a vraiment existé : c'était l'instituteur de Gotlib à l'école Ferdinand-Flocon (ainsi que celui de Jean et Pierre Tabary). Quant à Raffray, il était le camarade de l'auteur à la communale, puis au cours complémentaire, puis son copain de service militaire. L'un et l'autre se fréquentent toujours, mais il faut signaler que Raffray n'a pas de sœur. Ces bandes-là sont essentiellement axées sur le thème de l'enfance, ses mythes et ses déconvenues. Par exemple, *La rentrée enchantée*[3] ou *Notes sur le printemps*[4] mettent en balance enfant et adulte, imagination et réalité, dépendance et autonomie d'une façon qui relève déjà de l'habituelle façon gotlibienne (ciel !).

L'inspiration réoxygénée

Les « Dingodossiers » constituent une espèce de palier dans la carrière de Gotlib, une récréation en même temps qu'une re-création : il est momentanément devenu la « main » d'un autre. Cette réoxygénation a fortement rejailli sur « Gai-Luron », puisque c'est à ce moment-là que se situe la période faste de cette série. C'est pour ça que je parle de re-création : avec Goscinny, Marcel recharge ses batteries à un courant neuf, il apprend une nouvelle respiration. Il y a une sorte de « parenthèse » à son narcissisme et à son angoisse. Rien de tel pour repartir ensuite du meilleur pied ! Mais se mettre « derrière » quelqu'un, je pense qu'il ne saurait plus s'y soumettre. L'exemple en est « Superdupont », cette série épisodique où Gotlib, mal à l'aise, s'accommode mal des exigences d'un scénariste, fût-il aussi talentueux que Jacques Lob. Marcel se lamente : « Ce que tu peux être pessimiste, alors, toi ! Je ne peux plus faire ceci, je ne pourrai pas faire cela, c'est fini, je suis cuit, etc. Chaque fois, tu

1. Nº 408 (1967).
2. Nº 361 (1966). III. 47.
3. Nº 363 (1966) et album « Dingodossiers » nº 2.
4. Nº 385 (1967) et album idem.

me démolis le moral ! Et ça me fout les jetons parce que tu n'es pas le seul à me le dire : des gens férus de psychologie me répètent souvent que, ma névrose étant narcissique, elle ne peut me mener qu'au suicide. Heureusement, d'autres personnes aussi calées ont un peu remis les choses en place. Mais je me demande si elles ne l'ont pas fait pour me tranquilliser plutôt qu'autre chose ! »

Il n'y a rien de pessimiste dans ce que je viens de dire. Au contraire, je trouve heureux qu'un créateur en arrive à ce point d'introspection et de sincérité où il ne peut plus accepter l'intrusion d'un tiers dans son univers. Ascension suicidaire ? Démarche névrotique ? Et après ? Quand on est doué dans autant de domaines que lui, rien n'est désespéré, rien ne tombe. Si Marcel arrive au cul-de-sac, eh bien ! il empruntera une autre voie. Ou il refera le chemin en sens inverse, avec sûrement des surprises de taille : on oublie toujours la moitié des choses quand on va quelque part ! Avec Goscinny, la surenchère est provisoirement interrompue, c'est un repos bénéfique. Il y a un autre élément très positif à considérer : en faisant les « Dingodossiers », Gotlib gravit un échelon de maturité et s'adresse à une catégorie de lecteurs moins juvéniles que ceux de VAILLANT. Avec la « R.A.B. », il montera encore un degré, puis un autre avec « Hamster Jovial », un autre dans L'ÉCHO DES SAVANES. En même temps que son public « grandit », Marcel lui-même gagne en maturité, en autonomie. A la limite, on peut vraiment dire que son public et lui se sont « faits » ensemble ! Face souriante d'une ascension amère. Peut-être la plus importante ? Peut-être après tout que le fait de devenir adulte en voyant mûrir les autres est un facteur d'apaisement.

Gotlib-Goscinny : même combat ?

Si Goscinny a grandement formé Gotlib, leur union fut surtout provoquée, consolidée par une foule de points communs, d'idées communes, de thèmes identiques. « Je n'avais au fond, dit Marcel, aucun problème à le suivre car on avait énormément de points communs sur le plan du travail et de l'inspiration, et en plus on était très liés sur le plan amical. Finalement, il a lâché la bride, il m'a donné la liberté de m'exprimer. Mais il est arrivé un moment où la bride s'est tendue à l'extrême, où il aurait dû la lâcher complètement. Il ne l'a pas fait ; la bride a cassé. C'est pourquoi je pense — et je le lui ai dit — que j'ai fait L'ECHO DES SAVANES *à cause de* et *grâce à* lui en même temps ! »

Il faut ici préciser la notion de « meurtre du père » dont j'ai parlé et sur laquelle j'aurai l'occasion de revenir. Avec les « Dingodossiers », commence l'opération de substitution ami-père effectuée par Gotlib sur Goscinny. Le terme de « meurtre » est évidemment symbolique, sévère, il est habituellement utilisé parce que ça se passe presque toujours mal. Marcel tend tout simplement à renverser la relation avec son ami (et néanmoins directeur), à changer le rapport qu'ils ont tacitement et inconsciemment établi. Entre l'un et l'autre, le problème est que le stade de la séparation est peut-être dépassé (je place ici ce problème sur un plan davantage professionnel que personnel). L'expérience œdipienne de Gotlib et son scénariste comporte trois stades : le premier, celui des « Dingodossiers », où Goscinny fait office de père et d'éducateur, un deuxième stade, la « R.A.B. », où Marcel quitte le foyer paternel, en accord avec papa, et le troisième stade, celui de L'ECHO, qui est un stade d'opposition, d'antagonisme un peu fanfaron. « Le moi se pose en s'opposant », disait je ne sais plus quel penseur de mes années de philo. La phrase s'applique parfaitement à la démarche récente de Gotlib : ce « moi » qui est le but de sa quête, il ne peut exister que si le « surmoi » — l'autorité, l'entrave — disparaît. Il semble bien que les dernières bandes de L'ECHO attestent la position d'une personnalité autonome, en réagissant *contre,* non plus en allant *vers* Goscinny. Mais opposition ne signifie pas ici hostilité. Maintenant que la délicate opération chirurgicale est terminée, que Gotlib est en passe de devenir adulte, plus rien n'empêche les rapports de s'établir sur des bases moins passionnelles. Le père tué, reste l'homme : c'est la morale d'*Œdipus censorex.* Pour Marcel, la question est au fond la suivante : comment faire pour que l'autre devienne un ami ?

Le bilan des années de « Dingodossiers » est extrêmement positif. Cette série est à l'enfance embellie de rêves ce que L'ÉCHO sera aux mirages de l'âge adulte. Entre-temps, le petit Marcel va grandir. Dans l'histoire, celui qui ne change pas, c'est Goscinny, parce qu'il a toujours été un subtil mélange d'implacable lucidité et d'innocence enfantine, un compromis entre l'idéaliste souriant et le critique sans indulgence (hormis celle de l'humour). Goscinny nous est toujours apparu sous ce double visage, tellement nuancé qu'une observation superficielle oblige à lui coller une fois pour toutes des étiquettes complètement inadaptées. Marcel, en revanche, a fait du chemin avant de parvenir à la même ambiguïté d'essence poétique (c'est un peu ça, en fin de compte, la poésie). Il a mûri, s'est affirmé en exprimant ses fantasmes les plus intraitables et les plus secrets. Maintenant, en dépit d'une divergence dans les modes d'expression, Goscinny et Gotlib gardent au fond une identité d'intentions qui se ramène à cette dualité critique/rêverie, enfant/adulte dont je parle : c'est une façon de mêler l'ironie à la tendresse, la dérision à l'espérance et de cacher sous un masque de comédie des réalités autrement plus « sérieuses », c'est-à-dire de parler de l'homme en peignant un enfant.

pilote,
quatrième étage :
une coccinelle au plafond

43. « *Histoire désopilante* »

gotlib parle

SADOUL. — Nous en étions restés au moment où Goscinny te largue, te fait sortir du nid et t'encourage à voler de tes propres ailes.

GOTLIB. — Il y avait certainement de ça, en plus du fait que Goscinny était surchargé de travail. Il m'a suggéré des idées, il m'a dit que je ne devais pas m'enfermer dans une rubrique style « Dingodossiers », il m'a conseillé de faire avant tout ce que j'avais envie de faire, par exemple, d'essayer les aventures de l'élève Chaprot, parce que j'aime bien naviguer avec les gosses. Je lui ai demandé un délai pour réfléchir à la question. En fait, j'étais paniqué de prendre la relève d'un scénariste comme Goscinny. Je me suis donc arrêté six semaines — c'était à la fin de 67 — et j'ai cogité. Toutes mes pensées m'ont amené à cette conclusion : je voulais faire n'importe quoi, ne pas m'obnubiler sur un sujet quelconque (tel l'élève Chaprot), je désirais avoir une rubrique de tout et de rien dont le titre, à l'extrême limite, aurait pu être : « Les pages à Gotlib », je voulais TOUT traiter, animaux, contes de fées, etc. Je suis allé voir Goscinny pour lui expliquer tout ça. J'étais affreusement gêné lorsque je lui ai proposé, pour donner un exemple, le titre « Les pages à Gotlib », m'attendant à ce qu'il pousse un hurlement. Au lieu de ça, il m'a répondu : « Et pourquoi pas ? Dans MATCH, il y a bien " la page de Bellus " ou " le dessin de Gad ". Pourquoi n'y aurait-il pas " la page à Gotlib " dans PILOTE ? » Sa réaction m'a tranquillisé et je lui ai expliqué comment je voyais cette rubrique, mais très vaguement, parce qu'elle s'est vraiment construite au fur et à mesure. Entre autres, je lui avais dit que j'aimerais assez faire l'équivalent, sur le plan de la forme, de ce qu'il y avait dans l'émission « Salut les copains », c'est-à-dire m'adresser directement aux lecteurs, ne pas créer un personnage : le personnage, ce serait moi, apparaissant dans le texte pour dialoguer avec le lecteur, etc. Je me souviens que Goscinny a eu un petit sourire énigmatique quand j'ai parlé de « Salut les copains », sourire dont je ne sais pas s'il était ironique ou encourageant. Toujours est-il qu'il était d'accord pour tout. J'avais donc le feu vert pour préparer ma rubrique. Un autre titre m'était venu à l'esprit : « Laissez-moi vous dire », phrase que l'on rencontrait beaucoup dans les chansons de cette époque — on était à la fin du « yéyé » — et qui venait des succès anglais où l'on entendait « let me tell you ». Mais finalement, c'est un troisième titre qui est resté : « La Rubrique à brac » ! Alors, j'ai fait d'un seul coup les deux premières rubriques, l'une, animalière, *Le pélican*[1], l'autre, sur un conte de fées, *Histoire à considérer sous plusieurs angles*[2], ce qui était une façon d'annoncer la couleur et d'attaquer directement les deux grands thèmes que je désirais développer.

S. — Mais pourquoi ce titre, « Rubrique à brac » ? Je suppose que tu voulais faire un jeu de mots avec « R.A.B. », le « Rien à Branler » des bidasses ?

G. — Pas du tout, tu me croiras si tu veux, mais c'est un hasard ! Je ne l'ai pas fait exprès, je te jure ! C'est après coup que je me suis aperçu du jeu de mots. J'avais pensé tout de suite à « rubrique », terme que je voulais associer avec quelque chose comme « bric-à-brac » ou « méli-mélo », et l'association « rubrique-à-brac » s'est imposée d'un seul coup. Et après seulement, quand j'écrivais en abrégé « R.A.B. », j'ai remarqué que ça faisait effectivement comme « rien à branler ». Et il y a un truc marrant : un court métrage, *Le derrière du cinéma,* a été tiré de *Langage cinématographique*[1]. Cette « R.A.B. » est passée en complément du film « R.A.S. », de Boisset ! J'ai donc démarré au début de 68, et ce fut un peu difficile parce qu'il fallait tout mettre sur pied : j'avais seulement une idée d'ensemble de ma rubrique, les détails devaient être établis au fur et à mesure. Comme points de repère, je n'avais que les deux grands thèmes à développer : les animaux et les contes de fées. Je souhaitais jouer sur toute la mythologie de l'enfance, chansons, contes, etc. Il me reste d'ailleurs encore une foule de sujets à traiter, pas encore exploités, notés dans mes calepins !

S. — Pensais-tu t'adresser à des enfants ou à des adultes ?

G. — Je n'ai jamais eu l'intention de m'adresser à qui que ce soit (dans la limite des directives imposées par les journaux où j'ai travaillé, bien entendu). Je m'adressais et je m'adresse à moi-même : je fais des trucs qui me plaisent, et tant mieux si ça plaît aussi aux lecteurs. C'est un peu comme ça pour tout le monde, je pense.

S. — Mais tu voulais raconter des choses ayant trait à l'enfance ?

G. — Oui, mais qui ne devaient pas obligatoirement s'adresser à des enfants : ça ne devait s'adresser à personne en particulier. Je voulais surtout parler des enfants parce que c'est un sujet qui me tient à cœur, traiter du monde de l'enfance et des rapports adulte-enfant, indépendamment du public auquel ça s'adressait. De même pour les animaux : je voulais faire des trucs dans le style de mes bandes pour RECORD. Et au bout de six semaines, dans la douleur, j'ai accouché dans la foulée de mes quatre premières planches.

S. — Sans savoir encore comment ça allait évoluer, naturellement ?

G. — J'avais quand même des idées précises : celles que j'avais maladroitement expliquées à Goscinny.

S. — Et comment a-t-il réagi en voyant ta rubrique ?

G. — Il en était content, ça lui plaisait. Et je pense à une anecdote du tout début, après une douzaine de rubriques seulement : j'étais débordé, crevé, énervé, et j'avais décidé de tout envoyer chier. Comme d'habitude dans ces cas-là, il s'est montré conciliant et m'a dit : « Bon, allez-vous saouler la gueule, reposez-vous, on verra plus tard. » J'en ai profité pour lui dire que

1. Nº 429 (1968) et album nº 1.
2. Nº 430 (1968) et album nº 1.

1. Nº 499 (1969) et album nº 2.

je souhaitais faire autre chose, notamment une série animalière avec Reiser : « Parfait, a répondu Goscinny, très bien. » Et je suis parti me reposer chez mes beaux-parents, à Hyères, dans le Var. Il y a eu une interruption dans la « R.A.B. » — interruption pour moi définitive — et j'ai dessiné *L'éléphant,* sur scénario de Reiser [1]. Puis je suis revenu à Paris et Goscinny a demandé à me voir : « Bon, m'a-t-il dit, alors ? » — « Quoi, alors ? Je fais une série avec Reiser. » — « Non, non, il faut continuer la rubrique que vous avez commencée ! » J'ai commencé à sangloter, à tergiverser, mais il a insisté tant et si bien qu'il m'a convaincu : et j'ai recommencé, après six semaines d'interruption, pour aller sans arrêts notables jusqu'à la fin. En tout, ça a duré quatre ans et demi, de début 68 à mi-72.

S. — Quel fut au début l'accueil chez tes confrères ?

G. — Tu sais, en principe, on ne se congratule pas chaque fois que quelqu'un sort une nouveauté, de même qu'on ne vient pas se dire : « C'est de la merde, ton truc ! » Je peux seulement me rappeler que Cabu m'a dit avoir trouvé *Le pélican* très chouette (si je puis dire !), et Fred aussi m'a dit que ça lui plaisait, sauf que le titre le choquait, à cause du calembour. Fred déteste les jeux de mots. C'est pourquoi j'ai lancé la légende qu'il les adorait, en déconnant parfois dans PILOTE avec : « Jeu de mots aimablement communiqué par Fred. » Ça a marché au point qu'il recevait des lettres de lecteurs le félicitant pour les jeux de mot hilarants qu'il me filait !

S. — Le principe de la « R.A.B. » te permettait de faire ce que tu voulais. Au fond, chacune de tes apparitions dans PILOTE pouvait se prévaloir de ce sigle.

G. — Bien sûr. Même les histoires longues que j'ai faites entraient dans le cadre de la « R.A.B. ». Ce qui n'en a pas fait partie, c'est ma contribution aux pages d'actualité instaurées après 1968 par Goscinny : là, je m'incluais dans un titre général qui était « X pages d'actualité ». En réalité, pour moi, l'esprit ne changeait pas tellement puisque le sujet de ces pages était à notre convenance. D'ailleurs, quand les actualités se sont développées, mes rubriques se sont un moment trouvées incluses dans ces pages, au début du journal, et chaque fois que cela m'était possible, je traitais un sujet d'actualité ou j'essayais de m'intégrer dans un thème général, décidé pendant les réunions rédactionnelles du lundi. La « R.A.B. » a connu une période terrible, merveilleuse — comme pour « Gai-Luron » —, cette période où les vannes s'ouvrent, où l'on ne cherche pas encore à se dépasser soi-même. Une période de grand bonheur, quoi !

S. — La presque totalité de ta rubrique a été un grand moment. En plus, durant cette période, tu as collaboré avec d'autres personnes comme scénariste et comme dessinateur.

G. — Des scénaristes, je n'en ai pas eu beaucoup : Hubuc, pour une histoire, Reiser, pour deux histoires, et aussi Lob et Mandryka.

S. — On va tout de suite reparler des deux derniers. Ton activité de scénariste, elle, a été assez grande, à

PILOTE. Indépendamment de Mandryka et Alexis, dont nous allons aussi reparler, je pense ici à tes histoires pour Druillet, Giraud.

G. — Druillet, je lui ai fait deux pages : *L'allée aux cent collines* [1]. Par la suite, je lui ai redonné un scénario mais il n'a pas eu le temps de le dessiner. Alors j'ai décidé de le faire moi-même, à la façon de Druillet. Et ça a donné *Terra me voilà* [2]. Quant à Jean Giraud, il s'est surpassé à partir d'un jeu de mots idiot, dans *Voyage au fond de l'effroi* [3], et il a fait ça directement en couleurs : l'original est une pure merveille ! En dehors de ça, j'ai fait quelques scénarios pour les pages d'actualité, en particulier pour Leconte, Poppé, Chakir. C'était à l'époque où j'allais régulièrement aux réunions du lundi. J'ai pas mal participé à la série consacrée à l'ordinateur Hal (celui de *2001*). En définitive, ces réunions d'actualité étaient formidables parce qu'il y régnait une espèce de souffle : on avait mis sur pied un tas de conneries qui en formaient l'ossature, des gags maison, comme Hal, Molyneux, Fred et ses jeux de mots, etc. Et il y en a quelques-uns dont je suis à l'origine. Molyneux, c'est Fred et moi, un soir de déconnade, parce que Fred habitait en face de chez le parfumeur du même nom, rue de la Paix. Il l'a utilisé le premier, puis j'ai repris la balle au bond, puis toute l'équipe en a fait un personnage maison. Ce qui est ennuyeux, dans ce genre de gag, c'est que ça fonctionne bien avec deux ou trois gars qui se renvoient la balle. A partir du moment où tout le groupe s'en empare, ça tue la force du gag. Mais tous ces clichés propres à PILOTE, en définitive, ils ont été lancés par une petite poignée de mecs.

S. — Il y avait aussi Glützenbaum...

G. — C'est une trouvaille de Nikita Mandryka dans « Ailleurs », série qu'il a faite un temps dans VAILLANT. Je l'ai repris pour les « Clopinettes », où on le met à toutes les sauces. Par la suite, ça a été aussi repris par l'équipe entière.

S. — Parlons un peu de ta collaboration avec Alexis.

G. — J'ai connu Alexis quand il est entré à PILOTE, pendant les événements de mai 68. Je m'étais un jour traîné au journal — qui était évidemment désert — et je suis tombé sur des pages qui se trouvaient là, en attente. Et ça m'avait impressionné : « Pas possible ! m'étais-je dit. Ces pages sont faites par un professionnel de cinquante ans au moins ! Quel métier ! » Et ensuite j'ai connu Alexis, qui était vachement jeune (et qui l'est d'ailleurs toujours).

S. — Et vous vous plûtes l'un l'autre ?

G. — Dès que nous nous vîmes, nous nous plûmes ! Mais on n'a pas tout de suite travaillé ensemble. C'est en 70 qu'on a fait *Les films de chevalerie* [4]. Et comme Alexis a beaucoup de travail — « Timoléon », avec Fred, les pages qu'il fait seul, des actualités —, on ne peut pas travailler énormément ensemble : on a fait cinq histoires, plus quelques planches éparses.

S. — Je présume que vous vous entendez bien ?

1. N° 446 (1968), 6 planches.

1. N° 584 (1971).
2. N° 708 (1973).
3. N° 563 (1970).
4. N° 580.

LA RUBRIQUE-A-BRAC

DANS " LE PETIT POUCET " DE CHARLES PERRAULT, IL Y A UN PASSAGE QUI A TOUJOURS FAIT VAGABONDER MON IMAGINATION. C'EST CELUI OÙ LES PARENTS MÈNENT LEURS ENFANTS DANS LA FORÊT POUR LES Y PERDRE. JE VOUS RAPPELLE LA SCÈNE.

PROFITANT DE L'INATTENTION DES ENFANTS, LES PARENTS S'ÉLOIGNÈRENT INSENSIBLEMENT ET LES LAISSÈRENT LÀ.

HEUREUSEMENT, LE PETIT POUCET, QUI AVAIT EU VENT DE LA CHOSE, AVAIT PRIS SOIN DE SEMER DES PETITS CAILLOUX BLANCS...

...GRÂCE AUXQUELS ILS RETROUVÈRENT LE CHEMIN DU DOMICILE FAMILIAL.

MAIS LA FAMINE CONTINUANT À SÉVIR, LES PARENTS RÉSOLURENT DE PERDRE DE NOUVEAU LEURS ENFANTS. ILS LES REMMENÈRENT DONC DANS LA FORÊT ET, PROFITANT DE LEUR INATTENTION, S'EN ÉLOIGNÈRENT INSENSIBLEMENT.

HEUREUSEMENT, LE PETIT POUCET, QUI AVAIT EU VENT DE LA CHOSE, AVAIT PRIS SOIN DE SEMER DES MIETTES DE PAIN.

OR, DANS L'HISTOIRE, LES OISEAUX MANGENT LE PAIN, ET LES ENFANTS SE RETROUVENT BEL ET BIEN PERDUS. C'EST DOMMAGE. L'AUTEUR TENAIT LÀ UN PROCÉDÉ INTÉRESSANT QU'IL N'A PAS SU, À MON AVIS, EXPLOITER À FOND. QUAND ON A UNE BONNE IDÉE, IL FAUT EN PROFITER POUR TIRER AU MAXIMUM SUR LA FICELLE, QUE DIABLE !

IMAGINONS DONC LA SUITE, SI LES OISEAUX N'AVAIENT PAS MANGÉ LE PAIN. LES SEPT FRÈRES RETROUVENT ALORS LE CHEMIN DU DOMICILE FAMILIAL.

MAIS LA FAMINE SÉVIT TOUJOURS. ALORS LES PARENTS, QU'EST-CE QU'ILS ONT COMME BONNE IDÉE, LES PARENTS ? ILS REMBARQUENT TOUT LE MONDE DANS LA FORÊT !.. POURQUOI ? POUR LES PERDRE-EU ♪ TRA-LA-LA ♫

HEUREUSEMENT, LE PETIT POUCET, QUI AVAIT EU VENT DE LA CHOSE, AVAIT PRIS SOIN DE SEMER DES FLEURS...

...GRÂCE AUXQUELLES ILS RETROUVÈRENT LE CHEMIN DU DOMICILE FAMILIAL.

LES PARENTS S'ÉLOIGNENT INSENSIBLEMENT, PROFITANT DE L'INATTENTION GÉNÉRALE. PARCE QU'ILS AVAIENT REMMENÉ LES ENFANTS DANS LA FORÊT. POUR LES PERDRE. VU QU'ELLE SÉVISSAIT TOUJOURS. LA FAMINE.

HEUREUSEMENT, LE PETIT POUCET, QUI AVAIT EU VENT DE LA CHOSE, AVAIT PRIS SOIN DE SEMER DES SABOTS.

...GRÂCE AUXQUELS ILS RETROUVÈRENT LE CHEMIN DU DOMICILE FAMILIAL.

par gotlib

ALORS, APRÈS, JE VOUS FILE LE TOPO, TOUJOURS RIEN À BECQUETER. AUSSI SEC, DIRECTION FORÊT POUR PAUMER LES MÔMES. LES VIEUX SE FONT LA VALISE PENDANT QUE LES LARDONS MATENT RIEN.

COUP DE POT INOUÏ, LE PETIT POUÇAGA, QUI ÉTAIT AU PARFUM, AVAIT FAIT GAFFE DE BALANCER TOUT LE LONG DE LA ROUTE DERRIÈRE LUI DES BOULONS DE HUIT.

ALORS COMME ÇA, LES MOUFLETS RETROU-VENT LA CRÈCHE ET TOUT LE MONDE Y BICHE COMME DES POUX.

ENSUITE, IL Y A LA FAMINE, TOUT ÇA...

ÇA VA ENCORE DURER LONG-TEMPS CE CIRQUE ?

NON MAIS JE DEMANDE ÇA COMME ÇA

HEUREUSEMENT, LE PETIT POUCET, QUI AVAIT EU VENT DE LA CHOSE, AVAIT PRIS SOIN DE SEMER DES PETITS OISEAUX...

JE M'EXCUSE DE ME MÊLER DE CE QUI ME REGARDE PAS

...GRÂCE AUXQUELS ILS RETROUVÈRENT LE CHEMIN DU DOMICILE FAMILIAL.

ENCORE UN COUP, LA FAMINE. LES PARENTS RETOUR-NENT EN FORÊT PERDRE LEURS BON SANG DE BONSOIR DE @☆⚡☼ DE MÔMES PARCE QUE ÇA COMMENCE QUAND MÊME À BIEN FAIRE.

?

HEUREUSEMENT, LE PETIT POUCET, QUI AVAIT EU VENT DE LA CHOSE, AVAIT PRIS SOIN DE SEMER DES ENCLUMES...

LE FOND DE L'AIR EST FRAIS

...GRÂCE AUXQUELLES ILS RETROUVÈRENT LE CHEMIN DU DOMICILE FAMILIAL.

ENTREZ

MAIS LE PETIT POUCET CONTINUAIT À SÉVIR. AUSSI, LES PARENTS DÉCIDÈRENT DE RE-TOURNER DANS LA FAMINE POUR Y PERDRE INSENSIBLEMENT L'INATTENTION.

HEUREUSEMENT, LE VENT, QUI AVAIT EU LA CHOSE DU PETIT POUCET, AVAIT PRIS SOIN DE SOUSCRIRE UN EMPRUNT À L'ÉLECTRICITÉ-GAZ DE FRANCE.

AH PIS ZUT. QU'ILS SE DÉBROUILLENT.

MAIS COMME LA BONTÉ ET L'AMOUR FINISSENT TOUJOURS PAR TRIOMPHER, ILS FURENT HEUREUX ET EURENT BEAUCOUP D'ENFANTS.

G. — Tu présumes correctement. Comme c'est un dessinateur terrible, je lui demande de réaliser ce que, moi, je ne pourrais pas dessiner. D'autre part, mon style de narration, de gags, semble lui apporter quelque chose de nouveau : le côté exacerbé, le côté connerie, ça forme avec son dessin un composé assez savoureux.

S. — Et Mandryka ?

G. — Alors, Mandryka, on se mélange : il m'a fait deux « Tranche de vie », je lui ai fait des « Fables-express », les « Clopinettes », des histoires en six ou huit planches. Je l'ai bien sûr connu à VAILLANT et on est devenu copains. Avec lui, ça dépasse un peu le cadre du « collègue de travail », on a des relations privilégiées sur le plan « amitié ». Je ne pense pas que « Clopinettes » va continuer : dans la mesure où Nikita n'a pas l'intention de passer sa vie à sa table à dessin, il est plus intéressant pour lui de s'occuper de ses propres œuvres. C'est un peu ce qui se passe avec moi, par rapport à Lob, pour « Superdupont » : comme je ne travaille pas beaucoup à PILOTE, quand j'y travaille, j'aime autant que ce soit quelque chose de mon cru.

S. — La genèse de « Superdupont » vaut le coup d'être racontée.

G. — Oui, c'est une histoire très bizarre. C'était en 71, je venais de m'arrêter un certain temps, j'étais malade (faut dire que j'ai tout le temps un pet de travers !) et je recommençais tout juste à réfléchir à de nouvelles rubriques. Un thème qui me plaisait vachement, à l'époque, c'était Bougret-Charolles. Je pensais à la séquence d'ouverture d'un épisode où Charolles rêvait qu'il tombait et brusquement, Bougret arrivait, habillé en superman et le sauvait. Ensuite venait le titre... Après ça, j'ai pensé qu'il serait amusant d'habiller Bougret en superman français, avec un maillot de corps, un caleçon long, une cape, des pantoufles. Et puis, encore après, je me suis dit : « Merde ! mais si on lui colle un béret sur la tête et qu'on lui met sur la poitrine SD (Super-Dupont), ça peut faire un super-héros typiquement français, dans des histoires ultra-chauvines ! » Et j'étais vachement content d'avoir trouvé un truc du style Bougret-Charolles, mais en plus poussé, passé du policier dans le mythe. Et je bichais comme un pou, je notais des tas de conneries. Je voulais lui mettre une ceinture à holsters, un holster rond contenant un camembert, un autre contenant une bouteille de rouge, et une ceinture de flanelle bleu-blanc-rouge, je voulais lui filer une baguette de pain télescopique qui lancerait des rayons mortels, etc. Un jour que j'avais Mandryka au téléphone, je lui ai expliqué mon truc. Alors il m'a dit : « Lob est en train de travailler sur exactement le même sujet. » D'un seul coup, mes veines se sont vidées ! J'ai appelé Lob, qui était en vacances : il m'a confirmé la chose. Et il avait appelé son type Superdupont, avec des traits physiques semblables à ceux de mon super-héros ! Quant à l'esprit général de son sujet, c'était le même que le mien, c'est-à-dire des histoires très glorieuses, chauvines et ultra-parodiques.

S. — Pour Lob, ce n'était pas étonnant : ça reprenait un peu l'esprit de « Blanche Epiphanie ». De Défendar à Superdupont, il n'y avait qu'un bond !

G. — C'est exact, il a aussi toujours aimé ce genre d'histoires. Mais on s'est trouvés tous les deux bien emmerdés, on a hésité, discuté, marchandé jusqu'au moment où, tout bêtement, on a décidé de le faire ensemble. Notre premier épisode [1] n'était pas tout à fait satisfaisant : il y avait un peu trop de texte et le dessin n'était pas fameux parce que — c'est toujours la même chose — Lob m'avait donné à dessiner des trucs que je ne sais pas bien faire. Il y avait notamment des machineries : je suis nul là-dedans ! Actuellement et depuis six mois au moins, j'ai un second scénario de Lob auquel je n'ai pas encore touché, pour un tas de raisons, dont L'ÉCHO DES SAVANES.

S. — On parlera de L'ÉCHO plus tard, mais on doit noter que c'est à PILOTE que vous en avez conçu l'idée, Claire Bretécher, Mandryka et toi. Je suppose que tu connaissais déjà bien Claire ?

G. — C'était une copine de travail, ou plutôt un copain, un confrère comme les autres [2]. On s'aimait bien, on estimait réciproquement le travail de l'autre. Mais on est nombreux dans ce cas-là.

S. — Maintenant, la « R.A.B. » est bien morte, n'est-ce pas ?

G. — Je crois. Tu sais, à la fin, c'était très dur. Disons que, sur les quatre ans et demi, il y en a eu trois de fabuleux où je me laissais complètement aller. Mais c'était en même temps un piège parce que, sans m'en rendre compte, il y avait déjà cette surenchère, cette auto-compétition qui se manifestait et qui a fini par devenir très aiguë. Ma collaboration à PILOTE n'est pas terminée, du moins je le souhaite, mais la « Rubrique à brac » est morte. Pas la peine de s'accrocher, de recommencer ce qui a été fait. C'est symbolique, si tu veux, parce que, dans le fond, rien ne m'empêchait de garder toute ma vie le même titre tout en ne cessant pas d'évoluer, comme ces journaux qui s'appellent de la même manière depuis au moins trente ans. Nikita fait « Le Concombre masqué » depuis bientôt dix ans et son personnage n'est plus le même maintenant qu'au début. Il a d'ailleurs trouvé une jolie formule à ce sujet : « Le Concombre masqué, tel qu'en lui-même toujours il change. »

S. — Ce n'est en effet pas le titre qui fait l'œuvre : « R.A.B. » ou autre chose, qu'est-ce que ça changeait pour toi ?

G. — Pour moi, il y a l'aspect « exorcisme » qui est important : le fait de supprimer ce titre signifie bien que ce n'est plus la même chose. La preuve en est qu'au moment d'arrêter la « R.A.B. », je ne voulais plus entendre parler de rien, y compris la coccinelle. J'en avais ras le bol. Or, lorsque j'ai fait le pastiche de Philippe Druillet, j'ai réutilisé la coccinelle parce que c'était exorcisé, c'était démystifié, ça n'avait plus d'importance. Je me sentais libéré d'un poids. Donc, rien ne s'opposait à ce que je me resserve de la coccinelle. Oui, la dernière année et demie fut dure parce que j'arrivais à un stade où je me devais de faire mieux chaque fois. D'autre part, j'avais alors en tête des sujets qui ne me paraissaient pas convenir au cadre d'une publication telle que PILOTE, à gros tirage et

1. N° 672 (1972).
2. Hypocrite ! (N. S.).

45. Les débuts de Gotlib à PILOTE

à public spécifique. J'ai donc commencé à me sentir un peu mal à l'aise et, toutes les semaines, ça a été de plus en plus dur : je voulais à la fois et inconsciemment faire mieux qu'avant et me limiter par rapport aux intentions nouvelles que j'avais. Tu comprends que ça m'obligeait à une défonce incroyable, chaque semaine, et que je ne pouvais plus tenir. Ça a duré comme ça un an et demi, avec des interruptions, des irrégularités de parution. Entre-temps, L'ÉCHO DES SAVANES est sorti. Et j'ai tiré un trait sur la « Rubrique à brac ».

S. — Bah ! c'est le métier, fiston... Et maintenant, en route vers de nouvelles aventures !

le grotesque et le sublime
(victor hugo - préface de cromwell)

Après quelques semaines de méditation transcendantale, Gotlib remplace les « Dingodossiers » par la « Rubrique à brac ». En apparence, assez peu de différence, un esprit plutôt voisin. En fait, la continuité paraît directe de l'ancienne rubrique à la nouvelle : inspiration, intentions, principes de base, présentation formelle, l'auteur n'a qu'à suivre les rails sur lesquels Goscinny l'a placé. La différence ? Gotlib est tout seul dorénavant : exaltante mais terrible responsabilité ! Premier acte d'indépendance : il se libère de certaines contraintes techniques imposées par le scénariste et décide de « se servir », c'est-à-dire de ne plus dessiner que ce qu'il veut ou peut. Cet acte purement matériel entraîne dans son sillage une libération intellectuelle : il va peu à peu rejeter tous les sujets qui ne le touchent ou ne le concernent pas directement. Hérité des « Dingodossiers », le grand thème de l'enfance reste très privilégié par rapport aux autres. Second sujet majeur : la confidence, la confession, la peinture de soi-même. Ce sont là les deux tendances essentielles de quatre ans et demi de « R.A.B. » Autre fait notable : l'accession de Marcel au statut d'auteur complet, de créateur officiel, lui vaut de commencer à sortir de son domaine propre : il s'essaie à écrire des nouvelles, des scénarios de cinéma, à toucher aux autres modes d'expression possibles (radio, ciné, télé, etc.). Il se met à produire des scénarios pour divers dessinateurs, surtout Alexis et Mandryka. En contrepartie, des scénaristes étrangers s'insinuent à la lisière de son univers qu'ils contribuent à élargir en le faisant dessiner. Des scénaristes, il faut bien le dire, Gotlib en accepte peu, et de moins en moins ! Ceux qui eurent ou ont cet exceptionnel privilège se nomment Hubuc, Reiser, Lob et Mandryka.

Le père et l'enfant

Les grandes figures du cinéma, résumées à la personnalité d'Orson Welles, n'ont cessé de fasciner notre homme. Dans la « R.A.B. », il s'y intéresse d'encore plus près, les utilisant dans le sens de ses obsessions : autorité, puissance, autonomie, aisance et réussite, Mar-cel leur attribue ces qualités qu'il recherche pour lui-même tout en les redoutant (ça fait partie des contradictions dont il parle quelquefois et qu'il cultive particulièrement). Longtemps, durant la « R.A.B. », il développera le thème de la grandeur presque toujours rabaissée, du supérieur déboulonné, mais sans l'analyser. Et ce, dès le début : Guignol, le réjimant de papa [1] et beaucoup d'autres rubriques évoquent le problème de l'enfant frotté à l'impuissant adulte. Le père magnifique mais qui est dans le fond un pauvre type, on le retrouve à l'infini dans les dessins de Marcel. Et je le répète, c'était inconscient chez lui. Puis un jour, il a une « révélation » quasi biblique, il prend conscience de sa hantise. Il n'aura alors de cesse de la précipiter à sa fin en systématisant le principe, en l'analysant sans dérobade. L'une des premières rubriques consécutives à cette prise de conscience est Le coin du cinéphile, mettant en scène la figure semi-divine de Welles dans un pastiche de La décade prodigieuse, film de Claude Chabrol qui décrit — comme par hasard ! — une situation analogue à celle de Gotlib (ill. 48). C'est le début du processus du « meurtre du père », le premier pas vers l'affranchissement, la position du « moi » face à l'oppression paternelle (ou familiale, sociale, politique, religieuse, etc.). Il est évidemment facile de deviner l'ombre de Goscinny profilée derrière la stature abattue d'Orson le Grand. Cette rubrique, dit Marcel, « reflète exactement mon état d'esprit du moment, elle y colle du début à la fin d'une manière incroyable ! D'abord, le sujet même du film s'y prêtait merveilleusement, et aussi le personnage d'Orson Welles, représentation parfaite du père dont je voulais me libérer. Tu imagines la jubilation que j'avais à faire cette histoire, puisque je m'y racontais absolument et en pleine conscience ! »
Très significatif est le texte clôturant ces deux pages, mot à mot imité du générique final d'un superbe film de Welles (justement !) : La splendeur des Amberson. Gotlib y écrit notamment : « Ces deux pages sont publiées dans PILOTE ... J'en ai écrit le scénario. J'en ai réalisé les dessins. Mon nom est Marcel Gotlib. »

1. N° 469 (1968) et album n° 1.

C'est alors la première fois qu'il tape du poing sur la table, la première fois qu'il ose s'affirmer et tirer la langue à la face du monde ébahi ! Cette rubrique est d'ailleurs à relire dans son intégralité, attentivement : tout y est signe, quintessence du problème de l'auteur et de sa prise de conscience. La destruction de la « figure » paternelle est par exemple exprimée à merveille dans les mésaventures presque oniriques — et bizarrement freudiennes, à cause du symbole sexuel — du pif d'Orson Welles (ou de sa prothèse puisqu'il paraît que le cinéaste, trouvant son organe trop petit, porte dans ses films un faux nez tout à fait perceptible dans *La décade*), accentuant le ridicule d'un personnage par ailleurs dérisoire de paternalisme. Et le commentaire dit par Chabrol — action parallèle au cours de l'histoire — institue une sorte de recul critique : celui de Gotlib lui-même, s'amusant à brouiller les cartes ! Plus tard, dans *La coulpe*, le même sujet sera développé d'une façon plus profonde, plus intime.

46. Dessin de Mordillo

Quand je parle de René Goscinny à l'arrière-plan de cette rubrique, il ne faut pas en déduire qu'elle est dirigée contre lui. Comme dit Marcel : « Rien n'a jamais été dirigé contre Goscinny ; tout a été dirigé, à partir d'un moment donné, pour moi. » Il se trouve seulement que le directeur de PILOTE a provisoirement et malgré lui assumé toutes les projections psychologiques et tous les blocages de son ami. Et il est venu un moment où celui-ci s'est dit qu'il fallait devenir Gotlib, quelqu'un d'autonome, ne plus vivre à travers un autre. Vers la même époque, il est probable que Goscinny, à propos d'un sujet peut-être scabreux, ait à peu près déclaré à son collaborateur : « Au stade où vous en êtes de votre carrière, vous n'avez plus le droit de faire ça ! », ce qui justifierait une espèce de crise au cours de laquelle Gotlib entrevit son avenir : une « carrière », c'est-à-dire un toboggan sur lequel on se laisse glisser, les doigts de pied en éventail, jusqu'à la boîte en sapin, sans plus rien tenter d'original. Ce petit choc peut expliquer en partie la prise de conscience dont nous venons de parler. Répercussion s'en trouve à la page 36 de *La coulpe* (ill. 82), grâce à laquelle j'ai reconstitué cette anecdote : Marcel appelle Dieu pour qu'il l'aide à résoudre ses angoisses. Dieu apparaît (contre-plongée wellesienne) ; Marcel lui confie son désir, son besoin de parler du pétomane. Et Dieu dit : « Mon enfant écoute ma parole : au stade où tu en es de ta carrière, tu n'as plus le droit de parler du pétomane. Et puis, laisse un peu tomber les parodies et les grimaces dans le dos du prof — Telle est ma parole — J'ai dit. » A ce moment, Dieu tourne le dos et Marcel lui fait des grimaces en pétant. Compte tenu que Gotlib s'amuse à citer dans ses œuvres les propos qui l'ont marqué, compte tenu que la phrase « Laisse un peu tomber la parodie et la grimace derrière le dos du prof... » est de François Cavanna, dans le numéro 101 de CHARLIE HEBDO, et compte tenu que ce Dieu bienveillant mais ferme n'est autre que Goscinny, il est aisé de penser que le texte « Au stade, etc. » est bien de celui-ci. J'ai soumis à Gotlib ces déductions du fouille-merde que les circonstances m'ont obligé à devenir : il n'a pas démenti plus que ça.

Marcel, son autoportrait et son évolution

Dans la « R.A.B. », Gotlib se peint, avec ou sans complaisance, raconte son angoisse, fait part de sa vie quotidienne, brosse de lui-même un portrait « en pied », destiné à conjurer les démons qui le hantent. Dès le neuvième épisode, la couleur est annoncée : c'est *Chanson rose, chanson mauve*, mélancolique journal intime que l'on peut considérer comme la charnière, le point précis où l'auteur se met à parler de lui à la première personne. Le garçonnet de cette rubrique — Marcel en personne — apprend la rêverie et la beauté du monde. A noter que Brassens y apparaît, sorti d'une radio rien que pour lui. Puis l'enfant découvre brusquement le faux-semblant, la vanité du rêve. Il est en passe d'accéder à la négation de lui-même, c'est-à-dire à l'état de « grand » : « Peu après ces découvertes, les enfants deviennent des adultes. Les adultes aussi sont de grands gosses. Mais ce ne sont plus des enfants. » Brrr ! cette histoire fait frissonner : deux pages graves pour esquisser la tragédie de toute vie humaine. Jusqu'alors catalogué comme « auteur gai », Gotlib prouve ici qu'il faut réviser un jugement hâtif. A partir de ce moment, son œuvre affichera cette impénétrable austérité, marmoréenne derrière le masque du rire. Et youpi !

47. *Brassens dans « Intermède folklorique »*

En réalité, des rubriques vraiment graves, il n'y en a pas des masses, heureusement. Ce sont des temps forts, des moments d'exception venant relever une sauce en général comique. D'où leur charme et leur importance. « Je sais, dit Marcel, que tu as un faible pour ces rubriques sérieuses, et ça me fait plaisir parce que, pour moi, ce sont les plus fortes, celles qui me reflètent vraiment. » Puis Ariane est née, aussitôt engagée dans la troupe de son père : *Journal d'un conquistador, La boule, Chanson aigre-douce, Les forts et les faibles* [1], d'autres encore sont une nouvelle étape dans l'autoportrait, la confession de l'auteur : ouvertement, il introduit sa vie privée dans son œuvre, alors qu'il se bornait jusqu'alors à raconter des bribes de méditation, des souvenirs, des espoirs.

D'autres étapes jalonnent l'évolution d'une œuvre exceptionnelle. La révolution manquée de 1968 a sans doute favorisé la prise de conscience de Gotlib. Paradoxalement, sa maturation politique n'en a pas directement découlé, mais plutôt une maturité psychologique. Dans le prochain chapitre, j'essaierai d'analyser l'évolution politique de ce bonhomme. Je me bornerai donc maintenant à dire que mai 68 est une étape dans sa personnalité plus que dans ses intentions idéologiques. Certaines rubriques comme celle du petit Biafrogalistanais [2] ne sont pas à proprement parler politisées ; celle-là au moins peut encore se rattacher au courant enfant-adulte qui est l'essentiel de la pensée gotlibienne (Grand Dieu !). Sur le moment, 68 n'a rien changé, mais d'autres événements, intimes ceux-là, sont venus précipiter l'évolution. J'en ai déjà parlé : la perte de Frédéric et les ennuis de santé, en 1970, pour ne citer que les plus déterminants. La dé-

couverte de la psychanalyse, aussi, à la même époque. Par le jeu de ces chocs successifs, Marcel s'est posé quelques questions et il a compris quelque chose de vital : « A trente-sept ans, j'étais encore un enfant, au sens où j'étais toujours tributaire d'une autre personne, et pas seulement de Goscinny. J'ai découvert que je n'avais aucune autonomie, que toutes mes pensées dérivaient d'une instance suprême, le « surmoi » de la psychanalyse qui prenait n'importe quelle forme, surtout celle d'un être aimé. » On ne dira jamais assez que « le surmoi est haïssable » ! C'est d'ailleurs lié au désir permanent d'être aimé, suscitant en contrepartie ou en prélude l'amour de Gotlib : « Moi, j'aimais beaucoup, j'aimais tout le monde... J'ai toujours été un tendre, un pacifiste, un être gentil ! » Vers la même époque charnière, il découvre à ce propos une autre notion : la plupart des auteurs qu'il admire sont des gens qui refusent de quêter l'amour et vont même jusqu'à se faire détester. C'est l'humour noir, cet humour grinçant qu'il a toujours apprécié.

Propos gotlibiens : « Tout le monde dit de moi que je suis bon, que je suis gentil, que j'aime tout le monde, etc. Cela est vrai. Mais il y a peu de temps que j'ai réalisé tout ce que cette prétendue « gentillesse » avait de pathologique. Et aussi que si j'étais si gentil, c'était en réalité pour que les autres le soient par contrecoup avec moi. Ce qui amène automatiquement à une meilleure compréhension de cette notion d'agressivité, d'esprit « bête et méchant », et à leurs rapports avec l'acquisition de l'autonomie individuelle. Le sens du jugement doit en effet, pour être pur, se débarrasser de tout relent affectif. On peut très bien aimer quelqu'un et le critiquer dans une de ses actions, et vice versa, on approuvera telle action de quelqu'un qu'on ne peut pas blairer. Il fut un temps où j'approuvais sans aucune réserve les actions, où j'étais totalement de l'avis des personnes que j'aimais. Ce qui

1. Nº 593 (1971) et album nº 4.
2. **Désamorçage**, nº 640 (1972) et album nº 4.

m'amenait à adopter des points de vue qui n'étaient pas du tout les miens, et donc à vivre uniquement « au travers » de l'autre, et donc à être entièrement dépendant de l'autre ! Il m'est arrivé très souvent d'aimer des personnes dans le seul et unique but de quêter leur amour en retour. C'est même allé plus loin : il m'est arrivé de me forcer à aimer des œuvres faites par d'autres uniquement pour quêter l'amour de ces autres envers mes œuvres à moi ! C'est le comble de la démence ! J'ai maintenant pris conscience de tout ça, sans être sûr pour autant de l'avoir surmonté... A la sortie de *La décade prodigieuse*, je me souviens d'avoir défendu le film à cor et à cri face à tous mes copains qui le démolissaient. Or, je m'en suis rendu compte après coup, il était effectivement assez mauvais. Je me souviens notamment d'avoir défendu ce film au cours d'une petite réunion-pot, face à Goscinny qui, lui, le jugeait sainement. Il y avait d'autres gars qui, tous, abondaient dans son sens, et j'avais le sentiment d'être le justicier défendant une œuvre immortelle contre un tas de béotiens tarés ! A cette époque, l'album « R.A.B. » n° 3 était sur le point de sortir. Et en plein milieu de cette discussion très chaude, Goscinny, le verre en main, avec son sourire le plus sournois et prenant les autres à témoin, a laissé tomber : « Gotlib, en ce moment, il est en train de défendre d'avance le prochain album qu'il va sortir ! » Et c'était parfaitement vrai ! Je réalise aussi qu'il y a eu des tas de personnes pour qui je n'avais aucune sympathie, et que je m'efforçais malgré tout d'aimer ! J'aimerais arriver à assumer mes antipathies. J'aimerais que l'agressivité que je porte en moi, comme tout un chacun, ressorte un jour autrement que dans mon travail. Toutes ces antipathies contrariées et refoulées finissent par s'accumuler, former dans le psychisme un joli tas de fumier, sur lequel poussent — en élargissant le propos — les guerres. L'agressivité reconnue comme telle et assumée peut être le meilleur remède contre la violence ! C'est mon opinion et je la partage. Qu'est-ce qu'on se marre... »

« rubrique à brac » : détail

Bougret

Le commissaire Bougret et son fidèle adjoint, l'inspecteur Charolles, Germaine, la secrétaire amoureuse, le docteur Paul, médecin légiste ainsi que les deux suspects coutumiers forment un désopilant petit monde où tous les épisodes suivent le même canevas — comme dans « Iznogoud », de Goscinny-Tabary — et où le jeu consiste à varier la montée du gag jusqu'à l'absolu délire. Chaque épisode de cette démente série constitue un morceau d'anthologie, mais je veux citer ici pour le plaisir l'extraordinaire *Assassin vient du cosmos* [1], *La géniale déduxion* [2], étrange épisode dont je vais bientôt parler, *Bougrex* [3], fantastique parodie du « serial » à la Feuillade.
La personnalité du commissaire imbécile est un composé de Bourrel et de Maigret — d'où son nom —, auxquels il emprunte *le* détail caractéristique : la pipe du deuxième, le « Bon sang, mais c'est bien sûr ! » du premier. Ce qui est moins évident, c'est qu'il est le descendant direct d'un policier baptisé Bourrex, ressemblant à Raymond Souplex et mis en scène dans *L'erreur* [4], une histoire entièrement de Gotlib à l'époque des « Dingodossiers ». Deux planches où le contexte du futur Bougret était posé puisque le flic parvenait à sa déduction vaseuse par un biais débile, alors que tous les indices lui brûlaient les yeux ! Le véritable Bougret et ses acolytes ont réellement pris naissance pendant l'émission d'Europe 1, « Le feu de camp du dimanche matin », sous forme de sketches écrits par Marcel puis interprétés par lui-même, Fred, Goscinny et Gébé. D'où la reprise des mêmes bonshommes pour tenir leur rôle dans la version dessinée. Mais le comique de l'histoire est que, si Gébé, Fred, Goscinny et Gotlib interprètent les personnages de cette série, l'auteur conserve également les noms réels de certains d'entre eux, qu'il permute avec un plaisir de garnement. Ainsi, Gébé est Bougret, Gotlib est Charolles, Fred est le suspect numéro un et s'appelle « Aristidès, Othon, Frédéric, Wilfrid » — ses vrais nom et prénoms, sauf Wilfrid qui remplace Théodore (ce que Marcel ignorait) —, et Goscinny est le suspect numéro deux, nommé « Blondeaux, Georges, Jacques, Babylas », qui sont en réalité les nom et prénoms de Gébé (sauf Babylas).
Premier fait significatif : c'est toujours Goscinny le coupable, toujours lui, Blondeaux qu'un « indice plutôt maigre » finit par confondre ! Gotlib a distribué les rôles à l'antenne, la première fois, et il s'est trouvé, tout à fait « par hasard », que Goscinny a récolté le mauvais rôle. Deuxième fait, en relation avec le précédent : le « beau rôle », Bougret, l'élégant, l'intuitif, le père magnifique et ridicule qui fait béer d'admiration Charolles-Gotlib, c'est Gébé qui l'interprète. On retrouve d'ailleurs celui-ci, toujours dans le beau rôle, au roman-photo de L'ÉCHO n° 2, venant triompher, superbe et méprisant, des gamineries de Mandryka et Gotlib en train de faire la roue devant Claire Bretécher. Or, Gébé est parmi les êtres que Marcel admire le plus. Sachant cela et connaissant sa vieille tendance à se chercher un papa, il se méfie maintenant. Quand on lui a proposé de collaborer aux journaux du groupe HARA KIRI, il s'est défilé, craignant à juste titre de passer d'une « famille » dans une autre. « Si j'avais été

1. Nº 649 (1971) et album nº 4.
2. Nº 610 (1971) et album nº 3.
3. Nº 570 (1970) et album nº 3.
4. Nº 353 (1966).

LA RUBRIQUE-A-BRAC

DEUX MOTS SUR LE DERNIER FILM DE CLAUDE CHABROL: "LA DÉCADE PRODIGIEUSE"

IL FAUT NOTER QUE CE FILM, CONNECTÉ SUR UN ROMAN POLICIER, CONCOCTE LE THÈME ÉTERNEL DES RELATIONS PÈRE/ENFANT AVEC, EN NOTATION, LES RELATIONS DIEU/HOMME DÉNOTANT LES CONOTATIONS FREUDIENNES À QUI SAURA DÉCONOTER LES ANNOTATIONS DÉCONNECTÉES CONOTOIRES. J'AI VOULU PLACER AUSSI LE MOT CONNECTICUT, MAIS J'AI PAS RÉUSSI).

MONSIEUR CHABROL, JE M'EXCUSE... JUSTE UNE PETITE QUESTION...

LE RÔLE DU PÈRE, THÉO, EST TENU PAR LE GRAND ORSON WELLES.

MOUETTE ET CHAM

TOUT AU LONG DU FILM, IL Y A DES ALLUSIONS CONSTANTES À LA NOTION DE PÈRE, LIÉE À CELLE DE DIEU. PÈRE = DIEU.

CETTE NOTION EST RENFORCÉE PAR LA PERSONNALITÉ MÊME D'ORSON WELLES COMÉDIEN.

RRRÔÔ

EN GREC "THÉO" SIGNIFIE D'AILLEURS "DIEU". LE CLIN D'OEIL SERA APPRÉCIÉ PAR UN PUBLIC INITIÉ.

SCHLIFF

DANS LA MYTHOLOGIE GRECQUE, "THÉO" DIEU DES DIEUX, DIEU DU TONNERRE, N'EST AUTRE QUE ZEUS/ JUPITER.

HAAA...
HAAAA...
HAAAA...
HAAAA...

D'OÙ LA FORMULE : PÈRE=THÉO=DIEU= JUPITER=TONNERRE. À CET ÉGARD, LE PLAN DE L'ÉTERNUEMENT EST SIGNIFICATIF.

TCHAAA!

ANTHONY PERKINS INCARNE CHARLES, FILS DE THÉO, DANS UNE INTERPRÉTATION TRÈS HITCHCOCKIENNE. QUAND ON SAIT L'ADMIRATION QUE CHABROL PORTE À HITCHCOCK, UNE DIMENSION S'AJOUTE AU FILM, À SAVOIR : PÈRE/FILS = HITCHCOCK/CHABROL.

NE CRAINS RIEN MON FILS...
JE SUIS LÀ...
JE SAURAI TE PROTÉGER
JE SUIS TON PÈRE

LE PAUVRE CHARLES, TOTALEMENT DOMINÉ PAR SON PÈRE, FAIT UNE FIXATION AU STADE "ADOLESCENCE". TOUTEFOIS, SON DÉSIR PROFOND DE BRISER CE CORDON OMBILICAL SYMBOLIQUE AFIN DE S'AFFIRMER EN TANT QU'ADULTE, PROVOQUE CHEZ LUI UN "CONFLIT".

S'EN QUI MAIS... JE ZBAS QNZ
FRPT
QN
COMMENT?

CE CONFLIT N'ÉTANT PAS RÉSOLU, IL EN RÉSULTE UNE VIOLENTE NÉVROSE À TENDANCE SCHYZOPHRÈNE AVEC BRUSQUE POUSSÉE DE FIÈVRE. CE QUI NOUS PERMET D'ÉCRIRE : PÈRE/DIEU= FILS/HOMME = SCHYZO/39°5

AH NON, C'EST UN PEU COURT JEUNE HOMME ! ON POUVAIT DIRE, AH DIEU, BIEN DES CHOSES EN SOMME.

MARLÈNE JOBERT EST HÉLÈNE, ÉPOUSE DE THÉO. UNE ÉPOUSE TRÈS JEUNE QUI POURRAIT ÊTRE SA FILLE, CE QUI INTRODUIT UNE AMBIGÜITÉ SUPPLÉMENTAIRE.

NE CRAINS RIEN
JE SUIS TON KARA
JE SUIS LÀ
JE TE PROTÉGERAI
TU ES MA FEMME

CAR THÉO DOMINE HÉLÈNE PLUS COMME UN PÈRE QUE COMME UN ÉPOUX. D'OÙ L'ON PEUT DÉDUIRE LA FORMULE : THÉO/HÉLÈNE = PÈRE-DIEU-ÉPOUX/ FEMME.

MA CHÉRIE...
SMACK

COMPARONS AVEC LA FORMULE PRÉCÉDENTE : THÉO/CHARLES=PÈRE-DIEU/FILS. SOIT EN SIMPLIFIANT : HÉLÈNE = CHARLES.

JE T'AIME TANT...

ET CRRAC!

HÉ! PSST! MONSIEUR CHABROL!

PAR GOTLIB

À PART ÇA, IL Y A BIEN SÛR LA CLASSIQUE SCÈNE DE BOUFFE CHABROLIENNE.

ALORS LÀ ÇA Y VA!

QU'EST-CE QU'ON SE MET DANS LE BUFFET!

ET ÂTE DONC!

HÉ.. DI-TES VOIR..

SACRÉ VINGT DIEUX! %!!⊙*

DANS TOUT "CHABROL" QUI SE RESPECTE, IL Y A "LA" SCÈNE DE BOUFFE. CAR CHABROL AIME LA BOUFFE.

TENDANCE CARACTÉRIELLE MAGNIFIQUE-MENT SUBLIMÉE PAR WELLES, QUI AIME AUSSI LA BONNE CHÈRE. D'OÙ L'ON DÉDUIT:

CHABROL/METTEUR EN SCÈNE = WELLES/ CO-MÉDIEN = BOUFFE. RÉDUISONS AU MÊME DÉ-NOMINATEUR: CHABROL = BOUFFE = WELLES. SOIT: CHABROL = WELLES.

L'AMI DE CHARLES, PAUL, A DANS L'ACTION/ SITUATION UN RÔLE À PART. SES RELA-TIONS AVEC THÉO/PÈRE/DIEU SONT INTÉ-RESSANTES À ÉTUDIER.

PAUL, JE SUIS VOTRE AMI.

Michel Piccoli

NE CRAI-GNEZ RIEN.

JE SUIS LÀ. JE VOUS PROTÈGE-RAI.

EN EFFET, SI L'ON ADMET UNE SOLUTION DE THÉO + CHARLES², IL SUFFIT D'AJOUTER LE CATALYSEUR/PAUL DANS UNE PRO-PORTION DE 3,5 POUR 8.

OUI!

PRENEZ BIEN SOIN DE CHARLES.

EH OUI

IL Y A ALORS PRÉCIPITATION ET FORMA-TION D'UN NOUVEAU CORPS DE FORMULE Co^2Pt^4, CE QUI LAISSE RÊVEUR.

OUI

HÉLAS

CET ENFANT EST SI TOURMEN-TÉ

AH LA OUI

(DANS CETTE DÉMONSTRATION, LA VRAISEMBLANCE CHIMIQUE ET BIO-CHIMIQUE N'A PAS ÉTÉ NOTRE SOUCI MAJEUR.)

HÉ! PST...

LA FIN DU FILM EST BOULEVERSANTE. THÉO/PÈRE/DIEU SE RETROUVE ABAN-DONNÉ DE TOUS, SEUL ET MISÉRABLE.

LA MAGISTRALE STATUE DIVINE QU'IL REPRÉSENTAIT S'EST ÉCROULÉE DANS UN FRACAS DE TONNERRE. CE N'EST PLUS QU'UN VIEIL HOMME.

PAR CONSÉQUENT: THÉO/PÈRE/DIEU N'ÉTANT PLUS DIEU, ON PEUT ÉCRIRE : $T/P/D-D=T/P$. LE FILS ÉTANT PARTI AUSSI : $T/P-P=T$.

D'OÙ IL RÉSULTE QUE : P = THÉO, FAC-TEUR DE JUPITER SUR πr^2, ET D'AU-TRE PART, $E = \sqrt{k^2 r + ax + b}$, D'OÙ LA RÉSULTANTE $\xrightarrow{NaOH} \frac{-b \pm \sqrt{b^2 - 4ac}}{2a}$ J'AI BON ?

ROSEBUD

EN RÉSUMÉ, J'AI TENTÉ D'EXPOSER UN PRO-BLÈME FREUDIEN: L'ATTACHEMENT EXAGÉRÉ D'UN FILS POUR UN PÈRE TYRANNIQUE ET POSSESSIF, ATTACHEMENT DOUBLÉ DU BE-SOIN INCONSCIENT DE BRISER CE LIEN SACRÉ, CE QUI ENTRAÎNE UNE CULPABILISATION.

HÉ.. HÉHO.. DITES VOIR..

DÉTAIL IMPORTANT, POUR EXPOSER CE PROBLÈ-ME, J'AI TENU À NE PAS UTILISER TOUT L'AT-TIRAIL TRADITIONNEL DES SYMBOLES LOURDS DE SENS DU TYPE COLONNE, MENHIR, MINA-RET ET AUTRE TOUR EIFFEL.

PSST.. JUSTE UNE PETITE QUESTION..

NAN J'AI PAS DE BROCOLIS!

PETITE CRITIQUE AU PASSAGE. LA MAQUILLEUSE AURAIT TOUT DE MÊME PU FAIRE CORRECTEMENT SON BOULOT. TOUT LE LONG DU FILM, C'EST VISIBLE COMME LE NEZ AU MILIEU DU VISAGE QU'ORSON WELLES PORTE UNE FAUSSE BARBE, C'EST INCROYABLE! FAUT LA VIRER, CELLE-LÀ.

CES DEUX PAGES SONT PUBLIÉES DANS PILOTE.

ELLES ONT ÉTÉ EXÉCU-TÉES ENTIÈREMENT AU CRAYON, À LA PLUME, À L'ENCRE DE CHINE.

J'EN AI ÉCRIT LE SCÉNARIO.

J'EN AI RÉALISÉ LES DESSINS.

MON NOM EST MARCEL GOTLIB.

complètement autonome, rien ne se serait opposé à ce que j'y fasse six pages de temps en temps, sans m'intégrer à l'équipe. Forest le fait bien et j'aurais pu le faire aussi. Mais je me connais et je sais qu'il ne suffit pas d'avoir pris conscience de quelque chose pour s'en guérir ! »

Newton

Isaac Newton est le personnage fétiche de la « R.A.B. », son emblème, son pilier. A son sujet, il y a peu de chose à dire sinon qu'il a traversé la rubrique en running-gag invariable pour chaque fois — ou

49. Dessin de Mulatier

presque — récolter un choc sur la tête et imaginer des théories complètement loufoques. Né bien avant la « R.A.B. », il est l'un des tout premiers personnages de Gotlib dans PILOTE puisqu'il figure aux *Grands moments historiques de la farce*, où il se singularise d'emblée : primo, il ne reçoit rien sur la tête, secundo, il conçoit l'idée de la « chute des corps » ! Dans la « R.A.B. », il est là, dès le premier épisode, *Le pélican*, prenant ledit volatile en pleine poire, ce qui l'amène à formuler, une fois de plus, la théorie de la chute des corps. A

la sixième rubrique, *Le castor* [1], c'est un arbre qui lui tombe sur le crâne ; d'où, chute des corps, encore. Cette obstination à vouloir imaginer une théorie qui n'est pas la sienne, il finira quand même par y renoncer et comprendra que sa spécialité à lui, c'est la « gravitation universelle ». Par la même occasion, il abandonnera les projectiles de tous ordres pour ne plus accepter sur le chef que des pommes, histoire d'être en règle avec l'Histoire... A noter, suprême raffinement, *Pilote, le journal d'Isaac Newton* [2], parodie des principaux personnages du journal, dont Philémon, devenu Philémon Newton et qui tombe sur une pomme géante ! A noter également, le gag de *Des cas intéressants, certes, mais navrants, toutefois* [3], où un lapin reçoit une pomme sur la tête et se prend pour Newton.
Ce personnage, ou plutôt cette vedette, survivra quelque peu à la « R.A.B. » : on la revoit dans *La coulpe*, avec sa pomme et en compagnie de Momo le morbaque. Newton s'est imposé à Gotlib par le plus grand des hasards : c'est le premier truc qui lui est passé par la tête, dit-il, et il l'a gardé pour se marrer. Il n'empêche que le bel Isaac ressemble à tous ces bonshommes chargés de gloire et de grandeur que l'auteur se plaît à bafouer. Il est aussi, plus simplement, l'émanation de ces cours d'histoire qui ont tant fait chier Marcel, à l'âge des bancs de l'école. Vengeance rétroactive, bien glacée... Il en va de même pour le professeur Burp, qui nous fait maintenant l'honneur d'entrer sous le projecteur.

Burp et les animaux

En effet, Burp, « désagrégé en biologie animale », est la vivante dérision de ces cours magistraux dont l'horripilant ronron résonne encore dans toutes les mémoires : c'est le prof dans toute sa noirceur, sa médiocrité satisfaite. Il est évident que Marcel n'a jamais raffolé de l'école, encore qu'il ait été parmi les bons élèves. « La plupart des enseignants, dit-il, sont des mecs dont je me demande en quel honneur ils sont censés nous former. Qu'ils aillent d'abord se former eux-mêmes ! » Tout comme Newton, Burp préexiste à la « R.A.B. » Son ancêtre est le professeur Frédéric Rosebif des deux histoires jadis parues dans RECORD et reprises en 1967 dans PILOTE, avec cette fois Burp dessiné en chair, en os et en nom. Peu après, et toujours avant la « R.A.B. », il nous explique *Le noble jeu des échecs* [4]. Dans le cadre de la « R.A.B. », il est associé à la série sur les animaux, l'un des grands thèmes de Gotlib dont il se réserve la quasi-totalité des présentations. Il faut pourtant signaler qu'il n'intervient pas dans les premiers épisodes de cette série, mais seulement à la trentième rubrique, *Aï-donc, voilà le paresseux* [5].
Au départ, Burp ne devait pas se nommer Burp et son physique n'était pas prévu tel que nous le connaissons. Marcel désirait un très grand type dont la tête aurait toujours été coupée (encore un gag de PILOTE lancé par lui : Pradal, le rédac'chef trop grand pour tenir dans l'image...) et qui se serait appelé « le

---

1. Nᵒ 434 (1968) et album nᵒ 1.
2. Nᵒ 549 (1970).
3. Nᵒ 471 (1968) et album nᵒ 1.
4. Nᵒ 422 (1967).
5. Nᵒ 464 (1968) et album nᵒ 1.

*50.
Le dessin
« sonore »*

grand Técart ». Grâces aux dieux, nous avons échappé à ce calembour — qui aurait à coup sûr été attribué à Fred ! — et Burp est devenu le rase-mottes à guêtres qui ravit nos lectures. Mais il ne survécut pas à la « R.A.B. », lui, dévoré qu'il fut par un matou [1]. Gotlib tuant un de ses personnages, voilà qui ne laisse pas d'être troublant, comme dirait Charolles ! En général, il n'est pas courant de se débarrasser d'une créature, fût-elle encombrante. Pour Marcel, c'est un pur hasard qui présida à cette élimination et il ne faut pas y chercher, je crois, une allusion au « meurtre du père » ! Ce pauvre Burp est un fantoche que l'auteur n'hésita pas à bousiller quand il en eut marre, quand il voulut se détacher des histoires sur les animaux. Il arrive souvent, dans la B.D. et au dessin animé, qu'on tue des personnages appelés à réapparaître un moment plus tard comme si de rien n'était. Mais Gotlib, je l'ai dit, ne s'accommode pas de la facilité : dans son système de pensée actuel, un personnage défunt ne peut plus revenir à la vie. Burp est mort et bien mort ! Marcel l'a d'autant plus ressenti qu'après l'avoir expédié, il s'est quand même dit qu'il venait de perdre sa chance de récupérer la série des animaux, si l'envie l'en prenait par la suite.

La coccinelle

Un animal qui n'en est pas un : la célébrissime coccinelle, la mascotte de la « R.A.B. », née bien avant cette série, comme d'ailleurs presque tous les sujets et personnages qui la constituent. En 1964-1965, Gotlib anime une courte bande dans un mensuel féminin du groupe éditeur de VAILLANT. Le mensuel est titré ANTOINETTE, et la série, « Coccinelle » (voir bibliographie). Treize épisodes paraissent avec ce gracieux animal qui n'a que de lointains rapports avec notre coccinelle à nous. Plus tard, dans « Gai-Luron », on l'a vu, la souris sera le premier running-gag attitré de l'œuvre, souris elle-même, un jour, flanquée d'une très éphémère coccinelle. Dans la « R.A.B. », la bestiole arrive presque au début, dans *Le vilain petit canard* [2], de façon anonyme, il faut le reconnaître. C'est dans *Lutte inégale* [3] qu'elle fait ses véritables débuts, se

payant même le luxe d'être double pour la circonstance ! Depuis, elle n'a jamais longtemps quitté la série, à laquelle elle a survécu pour passer dans L'ÉCHO DES SAVANES, où elle se double finalement d'un morpion baptisé du nom charmeur de Momo le morbaque, afin de perpétuer la tradition gotlibienne (diable !) des petites créatures marrantes.

Distanciation un peu différente de celle de la souris de « Gai-Luron ». La coccinelle est beaucoup plus sophistiquée et plus profonde que l'autre animal. La souris ne parlait pas, se contentant de mettre un embryon de pagaille dans le gag. Au contraire, la coccinelle joue son rôle critique avec conviction, avec emphase : elle commente ou récuse l'histoire, désamorçant du même coup un sujet qui paraîtrait parfois trop grave. Elle représente en quelque sorte le doute perpétuel qui caractérise Marcel (c'est un peu l'équivalent des « parenthèses » dans les pages écrites de L'ÉCHO). L'exemple le plus significatif se trouve à *Histoire désopilante* (ill. 43), lorsque le dénommé Oreste regarde la Terre se briser tandis que le commentaire dit : « Il assiste, impuissant, à la désagrégation d'un monde qui pourtant semblait solide. » A ce moment-là, dans son coin, la coccinelle s'écrie : « Hého, c'est pas de jeu de se tenir à l'écart », s'identifiant à la « conscience » de l'auteur. C'est tellement vrai qu'elle devient « conscience officielle », en interprétant le rôle de Jiminy le criquet dans *La marionnette infernale* [1], aux côtés du petit Pinocchio (ill. 51).

Les parodies

J'ai déjà parlé de la série Bougret-Charolles, parodie de la littérature policière et du feuilleton télévisé. La chanson et le pop, la B.D., les thèmes propres à l'enfance, j'y consacre plus loin des paragraphes séparés. Voici un bref catalogue des autres principales parodies de la « R.A.B. ».

LE THÉÂTRE : Marcel, ne l'oublions pas, possède un début de formation théâtrale, ainsi que l'amour des planches, du « spectacle ». La meilleure illustration en est *Le Nô japonais,* cette délirante exploration de la scène et du rire. Couleurs hurlantes, dessin exaspéré jusque dans la folie, ces six planches absolument din-

1. **Le chat,** n° 626 (1971).
2. N° 438 (1968) et album n° 1.
3. N° 451 (1968) et album n° 1.

1. N° 551 (1970) et album n° 2.

gues montent progressivement l'absurde vers le cataclysme d'une manière qu'on a déjà vue dans une rubrique sur le Petit Poucet *(Continuons sur la lancée).* Et en même temps, quelle simplicité de moyens, quelle maîtrise de la technique ! A noter que le Nippon de cette histoire fait une brève réapparition dans *Repas d'affaires* [1].

LA MUSIQUE : On sait l'importance que la musique occupe dans la vie de Marcel. La musique « classique », la chanson et le pop. Si je parle plus loin des deux dernières, j'attire ici l'attention sur quelques pages « en musique ». Il y a bien entendu — si je puis dire — Beethoven cherchant l'inspiration, plus haut évoqué. Il y a une rubrique sur le violon [2], une sur le piano [3] et une sur le trombone — *Une invention attachante* [4] —, démonstrations dans le style des causeries du professeur Burp. On peut trouver un discret hommage à Louis Armstrong dans *Les habitants de la Lune* [5].

LA TÉLÉVISION : Comme tout être humain qui se respecte, Gotlib est téléspectateur (je m'empresse d'ajouter que, moi, je ne me respecte pas !). Il lui arrive donc de nous livrer ses réflexions et ses découvertes en la matière : *Les cousins* [6], *Tac au tac* [7], *Désamorçage, Les conteurs* [8] ou *Disons-le tout net* [9]. Au temps des pages d'actualité dans PILOTE, il fournit des scénarios sur ce sujet à Mandryka, Alexis, etc.

LA SCIENCE-FICTION, LE FANTASTIQUE, L'HORREUR : sujets privilégiés de la « R.A.B. », car Gotlib est féru de frissons, d'évasion, de poésie. Dans *Les habitants de la Lune,* il explorait en rêveur notre satellite, faisant fi des scientifiques et des astronautes. Avec ses grandes histoires en couleurs, telles que *Quelques thèmes de science-fiction* [10] et *Coup d'œil sur les extra-terrestres* [11], il va plus loin dans l'Espace et le délire. Jusqu'au matérialiste Bougret qui se voit confronté à l'assassin qui « vient du Cosmos », et n'en perd nullement son flegme !... Dans un autre domaine, *La statue qui rend fou* [12] nous rappelle de façon sensationnelle l'exotique mystère et le Bengale magique de la terreur littéraire anglo-saxonne ou de certains films de Fritz Lang et de Terence Fisher. Terreur plus indicible encore dans les histoires d'épouvante comme « Dracula » ou « Frankenstein » (romans et films) : par exemple, *Le vilain petit canard* et surtout *La marionnette infernale,* cette extraordinaire fusion des mythes identiques de Pinocchio et Frankenstein, créatures prométhéennes de la volonté humaine, réunies en un Pinokenstein si génialement pensé ! (A propos de ce nom, cf. ceux de la série de pastiches de « Gai-Luron »).

LE CINÉMA : C'est évidemment au septième art que Gotlib fait le plus souvent référence. Fanatique jusqu'à la moelle, passant davantage de temps dans les salles obscures qu'à sa table de travail (j'exagère à

peine !), il utilise très fréquemment le cinéma dans la « R.A.B. », soit qu'il lui emprunte sa technique (découpages, cadrages, mouvements de caméra, commentaires off, etc.), soit qu'il en parodie les grands thèmes, les clichés. On sait par exemple qu'il use et abuse de la contre-plongée et du grand angulaire, moyens évidents d'arriver à l'outrance graphique qu'il pratique. C'est son petit côté Orson Welles qui se manifeste là. Il essaie aussi quelquefois de transcrire sur le papier certains effets purement cinématographiques : les enjolivures des dessins animés, visibles dans les scènes glorieuses ou enchantées (fin rayonnante, ciel strié de lumière, flonflons et trémolos). Ou bien encore la bande sonore d'un film. Dans *L'assassin vient du cosmos,* à la deuxième planche, il y a deux images de ce style : l'image 3 de la bande 3, où le Dr Paul prononce une phrase que le dessin nous suggère, accompagnée d'une musique adéquate, et l'image 2 de la bande 4 (ill. 50), gros plan de Bougret prononçant aussi une réplique ponctuée d'un « climax » sonore. Plus le procédé sera pompier, un cliché, une tarte à la crème, plus Gotlib s'en délectera. Les parodies de films ou du monde du cinéma, on n'en finirait pas de les compter. Je me borne ici aux plus importantes : la « Bête » de Cocteau, revue et corrigée dans *Le retour du vilain grand cygne* [1] et *Gadgets pour contes de fées* [2], Tati, Keaton, les Marx et l'esprit de Disney flottant parmi *Les habitants de la lune,* Louis Feuillade en filigrane de *Bougrex, L'enfant sauvage* [3], d'après le film de Truffaut, *Le coin du cinéphile, Langage cinématographique, Les clichés du cinéma* [4], l'interview de Jean-Pierre Melville [5], *Le cinéphile frustré* [6], d'après *Les choses de la vie,* l'extra *Spaghetti western* [7], clin d'œil aux amis de Leone et autres filmeurs de cow-boys italiens. Clin d'œil encore, cette fois aux habitués des cinémathèques, dans *Croyez-en ma vieille expérience* [8], dont la première case est une allusion au chef-d'œuvre d'Eisenstein, *Ivan le Terrible* (la sixième case de cette histoire est à rapprocher de la cinquième de *La Coulpe,*

1. Nᵒ 439 (1968) et album nᵒ 1.
2. Nᵒ 461 (1968) et album nᵒ 1.
3. Nᵒ 555 (1970) et album nᵒ 4.
4. Nᵒ 541 (1970) et album nᵒ 3.
5. **Avant-première,** nᵒ 584 (1971) et album nᵒ 3.
6. Nᵒ 550 (1970) et album nᵒ 3.
7. Nᵒ 528 (1969) et album nᵒ 2.
8. Nᵒ 635 (1972) et album nᵒ 4.

51. *Coccinelle-conscience*

1. Nᵒ 632 (1971) et album nᵒ 4.
2. **Le violon,** nᵒ 539 (1970) et album nᵒ 3.
3. **Le piano,** nᵒ 545 (1970).
4. Nᵒ 455 (1968) et album nᵒ 1.
5. Nᵒ 466 (1968).
6. Nᵒ 548 (1970) et album nᵒ 3.
7. Nᵒ 517 (1969) et album nᵒ 4.
8. Nᵒ 588 (1971) et album nᵒ 4.
9. Nᵒ 636 (1972) et album nᵒ 4.
10. Nᵒ 493 (1969) et album nᵒ 2.
11. Nᵒ 521 (1969) et album nᵒ 2.
12. Nᵒ 543 (1970) et album nᵒ 2.

52. « *La statue qui rend fou* »

à la page 38 de L'ÉCHO n° 3, pour la bonne raison que c'est pratiquement la même !). Clin d'œil enfin, plusieurs fois répété et toujours à l'intention des cinéphiles confirmés, le landau de *Potemkine* dévalant l'escalier d'Odessa, image très fréquemment évoquée par l'équipe de PILOTE, dont Gotlib, par exemple dans *Bougrex*...

Musique pop et chanson (discussion)

G. — J'ai toujours aimé la musique, à commencer par la chanson et la « grande » musique, apprise comme je te l'ai dit au home de Vernouillet. Le pop, c'est tout récent et je dois avouer que je n'en suis pas un spécialiste. J'ai toujours plusieurs métros de retard (ce qui est meilleur dans un sens, parce que ça me permet d'être moins « blasé ») ; quand je discute avec les mecs de ROCK & FOLK, je les fais rire comme des fous en leur faisant part de mes récentes découvertes, vu que pour eux, elles appartiennent au passé décomposé !... Après tout, je m'en fous. Le principal est de découvrir, non ?

S. — Mais la musique pop paraît quelque chose de très important pour toi : tu as une discothèque plutôt riche, tu en écoutes toute la journée, et c'est une des sources de ton inspiration actuelle. Comment le goût t'en est-il venu ?

G. — De la façon la plus banale qui soit : par les Beatles, en 1967. J'ai acheté tous leurs disques, et je continue maintenant qu'ils sont séparés. Mais ce n'est évidemment plus la même chose.

S. — Les Beatles t'ont probablement influencé. En tout cas, on les retrouve dans tes bandes : *Les habitants*

de la Lune, Est-ce la fin des Beatles ?[1], plus un texte dans la rubrique de Guy Vidal à PILOTE[2].

G. — C'était quelque chose de très important pour moi. Quand ils se sont séparés, j'ai vraiment ressenti un manque et j'ai fait un effort incroyable pour essayer de trouver une compensation : j'ai écouté un tas de trucs qui ne me plaisaient pas et j'étais malheureux de ne pas les aimer ! Puis j'ai eu mon deuxième choc avec Zappa, grâce au film *200 motels,* et il s'est passé la même chose que pour les Beatles.

S. — Depuis, quoi que tu en dises, tu as quand même évolué assez vite et tu es venu à des types comme Santana, McLaughlin, Roxy Music, Yes, Bowie...

G. — C'est vrai, je suis progressivement allé à d'autres musiques, voire certaines relativement « difficiles », comme Mahavishnu. Mais là encore, ça doit faire rigoler les mecs qui suivent le courant et qui en sont au free ! Pour l'instant, je n'accroche pas au free, mais je ne perds pas espoir.

S. — Serais-tu resté un « nostalgique » ?

G. — Oh ! non, je ne suis pas fou de ça, de ces mouvements de nostalgiques des années 60, par exemple, avec toute la mythologie du rock de ces années-là. En ce moment, c'est très fort. Parallèlement, il y a aussi le mouvement « décadent », où on retrouve également toute une mythologie rock, mais passée à la moulinette des années.

1. N° 554 (1970) et album n° 3.
2. N° 642 (1972), rubrique : « Nous, cette semaine... On a bien aimé ».

S. — En dépit des apparences, les « nostalgiques » et les « décadents » n'appartiennent pas au même monde.

G. — Absolument. La « nostalgie », c'est le regret d'une certaine époque (qui était chouette, bien sûr : Elvis, les Platters, les Beatles à Hambourg, etc.), un regard tourné vers cette époque, comme si on avait attrapé un torticolis, comme si on ne pouvait pas, une fois pour toutes, regarder un peu vers l'avant. Le mouvement « décadent », par contre, c'est la fin définitive de ces choses passées, mais une fin qui n'est pas un reniement. A la limite, la « décadence » amène la progression, alors que la « nostalgie » a un côté réactionnaire certain. Les nostalgiques évoquent le temps passé avec regret, certes, mais aussi avec un bonheur un peu équivoque, un peu comme quand des anciens combattants évoquent leurs campagnes de façon telle qu'on finit par se dire : « Merde ! Pas possible, ils voudraient se retrouver dans les tranchées, ou quoi ? » La « décadence », c'est un bouquet final, outré, caricatural et sublime en même temps, mais qui se sait bouquet final, et qui se dit : « On tire un trait en beauté et on refait autre chose. Nous ou d'autres, c'est sans importance, mais il y aura autre chose après. »

S. — Ce que tu dis là est exact, et ça se retrouve exactement dans le monde de la B.D. : il y a les nostalgiques d'un certain « âge d'or » qui refusent d'admettre l'évolution du genre et les tenants de l'underground, par exemple, qui sont la B.D. d'aujourd'hui, celle de demain, qui font table rase du ronron. D'ailleurs, de plus en plus, la musique et la B.D. se rapprochent, font partie du même univers, qui est une remise en cause de l'univers habituel.

G. — C'est vrai. Tu vois, moi, je ne suis pas un spécialiste du pop, mais j'adore ça et je mesure la relation de cette musique à mon mode d'expression. Pour moi, ça a pratiquement remplacé toutes les autres musiques que j'aimais : le classique, les variétés, etc. Du coup, ça m'ennuie de passer à côté de trucs qui doivent être chouettes ! C'est bien d'aimer...

S. — Ouais, il ne faut pas se limiter : c'est mauvais pour le teint ! Mais la chanson a dû compter pour toi puisque tu en as pas mal parlé dans tes rubriques. Il y a en particulier une histoire sur le « Petit Conservatoire » de Mireille [1], une sur Barbara et son « Aigle noir », *Naissance d'une chanson* [2]...

G. — Alors ça, c'est purement anecdotique et ça ne reflète pas mon goût de la chanson. Barbara, je trouve, a beaucoup de talent, mais elle ne me fait pas spécialement vibrer.

S. — Toi, c'est Georges qui te fait vibrer !

G. — Oh ! oui, mais tu vois, depuis que j'ai viré dans le pop, je dois dire que les derniers Brassens m'ont moins fait vibrer que les premiers. Et ça me rend malheureux, comme si je faisais preuve d'ingratitude vis-à-vis du type qui m'a le plus touché à un moment de ma vie.

S. — Avec les Beatles, il est un des inspirateurs et des acteurs principaux de ta rubrique. Il partage d'ailleurs avec eux une image des *Habitants de la Lune* et il leur est littérairement rapproché dans *Est-ce la fin des Beatles ?* (« Les Beatles... Brassens... tout ça c'est kif-kif »). On le retrouve par ailleurs cité dans *Croyez-en ma vieille expérience,* dans *Le petit conservatoire,* dans *L'acte sexuel chez les animaux* [3], et il apparaît au petit môme de *Chanson rose, chanson mauve...* Est-ce tout ?

G. — Je crois, oui. Des chansons de Brassens comme « Au bois de mon cœur », « L'amandier », « Les deux oncles » ou « Les quatre bacheliers » (réécoute le texte de cette dernière et fais le rapprochement du père qui absout son fils avec mes problèmes !), et d'autre part des chansons des Beatles comme « Strawberry fields », « She's leaving home » ou « Getting better », trente minutes en tout, ont certainement eu plus d'importance pour moi que douze ans d'écoles diverses, de certificat d'études et autres B.E.P.C. ! Les premiers disques de Brassens ont bouleversé ma vie. Je me suis mis à apprendre la guitare rien que pour pouvoir chanter seul ses chansons et j'avais inventé un système d'accords résumant l'accompagnement des deux guitares sur les disques ! Et puis m'intéressant au pop il y a un blanc pour moi dans la chanson française. Et puis aussi j'ai découvert — encore avec dix

1. N° 491 (1969) et album n° 3.
2. PILOTE ANNUEL, n° 1 (1971).
3. N° 642 (1972) et album n° 4.

53. *Le conseil des sages...*

métros de retard — les chansons de Jacques Higelin et je trouve ça fantastique. Je regrette que Brassens n'ait pas écrit ces chansons ! J'établis entre eux deux le même parallélisme qu'entre, par exemple, MAD et Crumb, ou Spike Jones et Zappa : c'est la même façon d'entrevoir le monde, mais avec un certain nombre d'années de décalage, si tu veux, c'est la même qualité, mais représentative d'une époque.

S. — Ta comparaison est idiote — sauf le respect que je te dois ! — et fausse : Brassens n'a jamais représenté aucune époque, ni il y a vingt ans, ni aujourd'hui ! Il s'est représenté lui-même, et ça n'a pas été sans mal, crois-moi ! Qu'est-ce que c'est que cette façon de comparer des choses qui n'ont rien à voir ?

G. — C'est vrai, tu as raison, je déconne complètement en ce qui concerne Brassens. Il a toujours chanté ses trucs contre vent et marée.

S. — J'aime te l'entendre dire !

Parodies de la B.D. et parodies de soi-même.

La technique de la B.D., ses ficelles et ses principes, Gotlib ne cesse de les remettre en question. Soit pour s'en détacher, soit pour affirmer sa maîtrise. L'humour principalement, le gag, le rire et ses ressorts sont parmi les thèmes d'élection de la « R.A.B. » : dès *Le gag* et *Les grands moments historiques de la farce,* c'est-à-dire dès son entrée à PILOTE, il s'amuse avec son jouet-métier. Cela se retrouve dans la série sur les plaisanteries et gags traditionnels : *1er avril zoologique*[1], *Rions un peu avec bébé*[2], *1er avril*[3], *Quelques bonnes farces*[4], rubriques analysant le mécanisme du rire. De même pour les pages sur l'histoire du « fou qui repeint son plafond », ce vieux thème de la « R.A.B. » : *Raconter une blague : tout un art !*[5], *Histoire désopilante,* etc. Plus axées sur la B.D., certaines

rubriques en moquent les « trucs » comiques, telles *Variations sur un thème*[1] ou *La mort et le D.D.B.*[2]. Encore plus proches du sujet, un certain nombre d'épisodes font directement allusion à des bandes et auteurs connus, ou à des thèmes qu'adore Gotlib : les parodies de la S-F dont j'ai tout à l'heure parlé entrent dans ce cadre, ainsi que les « Superdupont » et *La double vie de Clark Kent*[3], pastichant Superman, *Le monstre inconnu*[4], rappel de Prince Valiant, *Le matou matheux,* mise en scène personnelle de l'univers de Fred (ill. 54), *Terra me voilà,* copie conforme de Philippe Druillet, lequel Druillet figure par ailleurs dans *Repas d'affaires,* tout comme Reiser figure dans *Tac au tac.* Mais je n'en finirais pas de citer les planches où Marcel dessine ses confrères et ses amis ! Dans *Les habitants de la Lune,* on peut voir çà et là les héros et les créateurs qu'il admire plus particulièrement. Quant à Tarzan selon Burne Hogarth, c'est un personnage vedette de la « R.A.B. » : *Pas si facile qu'on croit*[5], ou l'apprentissage du cri du « roi de la jongle », *Les héros légendaires*[6], ou les différents imitateurs de l'homme-singe, *Le pluvian, oiseau-dentiste*[7], ou les malheurs du seigneur des bois, l'excellente *Rencontre inattendue*[8], ou le mariage de Tarzan et de l'enfant-loup — à rapprocher du pastiche *L'enfant sauvage,* de Truffaut —, l'extraordinaire *Petit lever du roi de la jongle*[9], ou Hogarth et la fonte du beurre.

Enfin, les clichés propres à la « R.A.B. » sont allégrement tournés en dérision et Gotlib ne se prive pas de se faire des pieds de nez avec la jouissance un peu maso que l'on devine ! *Comment il naquit*[10] raconte la venue au monde de Newton, accouché dans la douleur par un génial créateur qui ressemble au nôtre comme un

1. Nº 440 (1968) et album nº 1.
2. Nº 535 (1970) et album nº 2.
3. Nº 595 (1971).
4. Nº 629 (1971) et album nº 4
5. Nº 447 (1968) et album nº 1.

1. Nº 457 (1968) et album nº 1.
2. Nº 492 (1969) et album nº 2.
3. Nº 498 (1969) et album nº 2.
4. Nº 500 (1969) et album nº 2.
5. Nº 566 (1970) et album nº 3.
6. Nº 522 (1969) et album nº 2.
7. Nº 448 (1968) et album nº 1.
8. Nº 478 (1969) et album nº 2.
9. Nº 519 (1969) et album nº 2.
10. Nº 520 (1969) et album nº 2.

frère à peine idéalisé, à grand coups de clichés et d'onomatopées américaines (Gaspe, Shudder, Sight, etc.) La coccinelle, vers la fin de la « R.A.B. », était-elle autre chose qu'un clin d'œil à l'intention des habitués ? Et Newton, au bout d'un moment, ne semblait-il pas avant tout auto-parodique avec son obstination forcenée à concevoir des théories sous hypnose (pommière) ? La fameuse histoire intitulée L'absurbe n'est-elle pas une dure paraphrase du propre humour gotlibien (houla !) ? Se dessiner soi-même, peu d'auteurs l'ont fait avec la constance et la délectation de Marcel : se voir, se manipuler, se rabaisser ou se grandir, qu'est-ce que c'est exaltant quand on est narcisse jusqu'à la mégalomanie ! Lorsque le fanzine LE PETIT MICKEY QUI N'A PAS PEUR DES GROS titra sa couverture « Gotlib est mort », avec dessin de celui-ci [1], notre ami faillit en crever pour de bon : de jouissance ! Sa propre mort, lui-même l'avait partiellement orchestrée et il en avait été le témoin ébloui... L'autre jour, au téléphone, il me disait : « C'est fou ! Ce bouquin que tu fais sur moi, on dirait un de ces livres qui paraissent en général après la mort de certains auteurs : tu m'analyses comme si je n'étais déjà plus là ! Et c'est formidable, tu ne peux pas savoir l'effet bizarre et délicieusement morbide que ça me fait ! » La première fois que Gotlib se met en scène dans la « R.A.B. », c'est pour ... Et le cercle fut ! [2], tout petit au bas de l'avant-dernière case. Puis il systématise la chose et se met à toutes les sauces, dans tous les bains. Alors, il adopte deux manières de se peindre : soit en minable, gosse demeuré ou adulte débile, victime de tout le monde, bête à pleurer, comme dans Charolles, l'éternel enculé (dans ce cas-là, il exprime cruellement ce qu'il redoute d'être) ; soit qu'il s'embellisse, se rêve tel qu'il aimerait être, ceint de laurier et recouvert d'hermine. Voici une nouvelle manifestation de son « syndrome de Jekyll-Hyde » : Jekyll-Charolles, trop amoindri, trop dérisoire pour exorciser vraiment la peur, Hyde triomphant, trop beau, lui, pour être vrai ! En définitive, Marcel ne se trouve ni dans l'un, ni dans l'autre, et les pôles sont renvoyés dos à dos une fois de plus, empêtrés dans le ridicule. Les rubriques Hyde, sublimées de laurier et d'hermine, il y en a un paquet : Croyez-en ma vieille expérience, description du « Maître » en fin de compte démythifié et même dangereux pour ses jeunes confrères (ill. 60) ; Les forts et les faibles, où Gotlib est naturellement parmi les seconds, en dépit de l'apparence ; La chatouille [3], où l'artiste n'est pas pris au sérieux ; Aller-retour [4], où il est persécuté par les enfants terribles ; La boule enfin, pérennité d'une angoisse que les hochets de la réussite ne sauraient conjurer. Dans ces rubriques, Gotlib se projette au fond dans un personnage de « père », d'entité supérieure telle qu'il s'acharne à l'annihiler : lui-même s'assimile à cet être magnifique et lamentable qu'il craint et qu'il hait. Le syndrome trouve quelquefois un aboutissement, les deux extrêmes fusionnant provisoirement ou acceptant de se regarder en face. Mais le résultat n'est pas meilleur : non seulement dans La coulpe, comme on le verra, mais dans la « R.A.B. », par exemple dans

J'aime qu'on me rassure [1], épisode au dénouement tout aussi pessimiste pour l'avenir de la profession que la morale de Croyez-en ma vieille expérience (élimination des concurrents) ; dans Les cousins également, preuve évidente que les frères ennemis sont irréconciliables et que Marcel se doit de chercher un moyen terme. Suprême dérision de son œuvre et de lui-même : La statue qui rend fou, où l'auteur disparaît en cours d'épisode (ill. 52). Arrive Newton, dans une planche totalement vide, et rien ne se produit : ni pomme, ni choc, ni théorie ! Newton s'en va, désemparé. Reste la coccinelle, ultime relent de vie, mais elle aussi perd tout son sens. Devenue inutile puisque privée de son rôle distanciateur, elle se tire finalement. Ne demeure plus que le néant, cet état second où Gotlib prend quelquefois son pied...

Pour clore ce paragraphe, il me semble utile et amusant d'étudier rapidement les couvertures et pages de garde des quatre albums « R.A.B. » parce que tout Gotlib s'y trouve résumé.

ALBUM 1 : Tous les thèmes se bousculent en couverture, foisonnants, non encore intégrés, avec Newton en vedette. Gotlib y figure, mais en personnage comme les autres. Idem pour les pages de garde. A noter, cependant, la présence de Liliane, la sœur de Marcel, pourvue comme lui de lunettes teintées (il lui a d'ailleurs donné son propre visage).

ALBUM 2 : Approfondissement, donc simplification. Ne restent que les thèmes les plus importants. Gotlib est évidemment toujours là, mêlé à ses personnages. En vedette, cette fois, Moïse, superbe et généreux, c'est-à-dire le père. Idem pour les pages de garde, sauf que maintenant Marcel, mégalomanie avouée, interprète tous les rôles.

ALBUM 3 : Simplification accrue, approfondissement. Allégorie grandiose où Gotlib figure en Charolles, paternellement soutenu par Bougret. Dans les pages de garde, il ne reste plus que Bougret et Charolles, père et fils côte à côte (face à face ?), mis à nu. Au dos de la couverture — et en photo ! — celui-ci est en retrait à l'ombre du premier.

ALBUM 4 : Intériorisation absolue, narcissisme parfaitement assumé. Tout le reste effacé, Gotlib se retrouve seul avec lui-même, en Alex d'Orange mécanique. Ressemblance nullement gratuite : Alex est un enfant torturé, cherchant par tous les moyens son autonomie. Egalement parlantes sont les pages de garde : Marcel se déshabille peu à peu mais n'ose aller jusqu'au bout et ne baisse pas culotte, parce que la coccinelle le regarde. Ultime pudeur de l'exhibitionniste devant sa créature, son reflet. Le mur n'est pas encore tombé. D'ailleurs, une page plus loin, Gotlib n'est qu'une effigie de carton au sourire crispé et à la joie tout autant artificielle, manipulée par un machiniste (moustachu) qui le retire finalement de la circulation (cf. le gag voisin de « Gai-Luron » où l'effigie joue un rôle). Idée à rapprocher du salut final de Nutty professor, quand Jerry Lewis montre que ses personnages et lui-même ne sont que des marionnettes, avant de démolir la caméra. Ce qu'on retrouve exactement à la page finale de La coulpe... Enfin, le dos de la

1. Nᵒ 4 (mai 1973).
2. Nᵒ 431 (1968) et album nᵒ 1.
3. PILOTE ANNUEL, nᵒ 1 (1971) et album nᵒ 4.
4. Nᵒ 598 (1971) et album nᵒ 4.

1. Nᵒ 575 (1970) et album nᵒ 4.

couverture est à la fois une victoire et une déconfiture de la mort : celle-ci occupe l'image mais la radiographie inverse la vapeur et lui donne vie. Comme toujours, l'ambiguïté de Gotlib s'en donne à cœur joie tout en jouant avec le lecteur.

Les parodies du monde de l'enfance

Ces parodies-là sont aussi nombreuses et probablement plus importantes que toutes celles que je viens d'évoquer, car elles sont une façon de réveiller le petit Marcel qui ne sommeille pas vraiment au fond du grand Gotlieb. Elles sont directement héritées de MAD (en particulier des gags féeriques et chevaleresques de Joe Orlando ou Don Martin), mais transmutées dans le creuset philosophal d'une obsession personnelle. En fait, tous ces thèmes ont vu le jour dans VAILLANT avant de se déchaîner dans la « R.A.B. » dès le deuxième épisode : *Histoire à considérer sous plusieurs angles*, hilarante confrontation du Prince Charmant et de la Bergère !

Le théâtre de marionnettes, avec *Guignol*, l'art de l'illusion et de la magie, avec *Pour s'occuper les mains*[1] ou *Rien dans les mains, rien dans les poches* ont fasciné notre grand gosse. Gotlib y exprime quelque chose de cruel et de désabusé, comme si les spectacles réputés « pour enfants » servaient à ceux-ci de purification contre les adultes. Remarquons le retour du duo de *Rien dans les mains...* au cours de *Repas d'affaires*. Ici aussi se situent certains jeux et ris dans le genre de *Slowburn gag*[2], à rapprocher de Guignol. Avec *De l'autre côté du moulin*[3], Gotlib s'en prend au vieux rêve de Don Quichotte — rêve déjà visualisé dans « Gai-Luron » — et son enracinement dans l'esprit des enfants. Ce chevalier errant est une manière d'extrapoler la littérature de chevalerie fréquemment citée par l'auteur, par exemple dans *Le monstre inconnu* et tout autre rubrique peignant un roi-père ultra sénile, des princes et princesses, des preux affrontant les dangers de l'existence, des sortilèges moyenâgeux, etc. Les chansons, rondes, comptines et autres couplets populaires, Gotlib ne cesse d'y référer, à commencer par le leitmotiv de *Chanson aigre-douce* — « Leblésmouti labiscouti ouileblésmou labiscou » —

1. No 516 (1969) et album no 2.
2. No 677 (1972) et album no 4.
3. No 562 (1970) et album no 3.

jusqu'à *Sosthène et Gédéon*[1], en passant par *Fanchon la Cruche*[2]. A signaler que cette dernière rubrique est la première « fable-express » de Marcel, inspirée d'Alphonse Allais, à qui elle est d'ailleurs dédiée. Le bon La Fontaine n'est pas épargné dans *La cigale et la fourmi*[3] ou *Le savetier et le financier*[4], pas plus qu'Andersen et ses contes, dans *Le vilain petit canard* ou *Le retour du vilain grand cygne*. On retrouve trace de ce dernier conte dans la girafe dingue de *Des cas intéressants, certes, mais navrants toutefois*.

Les contes et légendes en général sont pour Gotlib un morceau de choix. *Gadgets pour contes de fées* en est une belle illustration, ainsi que la délicieuse série de Carabette, la petite sorcière qui rate ses examens : *L'examen de magie*[5], *L'apprentie sorcière*[6], *L'envoûtement*[7], et *Carabette*[8] esquissent un univers de sortilèges qu'on retrouvera par la suite dans *Le Bois Huon*. Blanche-Neige et sa pomme (non, Blanche-Neige ne conçoit aucune théorie !) apparaissent dans *Gadgets...* et *Supposition idiote*[9]. Le Petit Chaperon Rouge, avant de rencontrer le loup de sa vie dans L'ÉCHO DES SAVANES, se distingue aussi dans *Gadgets...*, dans *La triste histoire du loup végétarien marqué par son hérédité*[10], *Les conteurs* et *Trou de mémoire*[11]. Enfin, le Petit Poucet, bonhomme cher à Gotlib, vit d'irrésistibles aventures dans maintes rubriques, dont *Sade raconté aux enfants*[12], *Gadgets...* (encore !), *Reconversion*[13] et *Continuons sur la lancée,* l'un des plus délirants sommets de la « R.A.B. ». Il est bien significatif, ce Petit Poucet, même innocent abandonné par ses parents et s'obstinant à les retrouver contre vent et marée. Le plus petit de la bande, c'est aussi le plus malin, celui qui triomphe des « grands ». Cet enfant-là, Marcel l'a dans son colimateur... Autre personnage-témoin, Pinocchio, l'être régi par une main supérieure, la créature voulue parfaite selon le désormais connu syndrome de Jekyll-Hyde. D'abord aperçu de loin dans *Gadgets...*

1. No 560 (1970) et album no 3.
2. No 456 (1968) et album no 1.
3. No 475 (1968) et album no 1.
4. No 449 (1968) et album no 1.
5. No 472 (1968) et album no 1.
6. No 482 (1969) et album no 1.
7. No 487 (1969) et album no 1.
8. No 491 (1969).
9. No 462 (1968) et album no 1.
10. No 454 (1968) et album no 1.
11. No 565 (1970) et album no 3. III. 61.
12. No 435 (1968) et album no 1.
13. No 477 (1968) et album no 1.

60. « *Croyez-en ma vieille expérience* »

(encore !), il fait un numéro sublime dans *La marionnette infernale,* où son union avec le mythe de Frankenstein est un véritable cri de souffrance et d'espoir, mais un cri furieusement drôle.

Dernier personnage de la tradition légendaire à qui Gotlib prête une existence dessinée : Papa Noël. Encore un « père noble », demi-dieu peuplant les rêves enfantins, encore un échec dans la course à l'autonomie. Mais cette fois, Marcel ne peut se résoudre à ridiculiser ou à détruire. Dans *Reconversion,* on apprend que le Père Noël et l'Ogre des contes sont une seule et même personne, Jekyll et Hyde confondus, l'un victime (l'Ogre), et l'autre, vainqueur, mais tous deux entités suprêmes que les enfants adorent et qui le leur rendent bien. Dans *Supernoël*[1], le magique vieillard revêt le costume de Superman et s'en vient répandre le bonheur sur Terre. Alléluia et tout ça ! Et puis il y a cette rubrique étrange et forte où le Père Noël est mis sous les verrous par Bougret-Charolles[2] et où Gotlib campe un papa-copain décidant de foutre en l'air le système familial établi, une espèce de révolutionnaire bonasse transportant dans sa hotte, au lieu des traditionnels jouets, de mystérieux pétards par qui le scandale arrive (ill. 63). Qu'y avait-il donc dans la hotte ? De la drogue ? Des photos cochonnes ? Des poupées gonflables et des vibro-masseurs ? Des pavés ? Des cocktails Molotov ? Des bandes dessinées ? Ou bien de plus épouvantables abominations ? On peut tout supposer devant le comportement de ce bizarre bonhomme qui refuse de « se faire suer à descendre par la cheminée » et bousille avec le sourire tous les rites de Noël. Et pour une fois que quelque chose de bien allait se passer, voilà que les flics viennent tout gâcher ! Echec total de la tentative : primo, Père Noël finit en tôle, secundo, les mômes eux-mêmes ne semblent pas apprécier le changement et sautent de joie quand Bougret-Charolles leur offrent les banals jouets qu'ils souhaitaient. En fin de compte, « tout rentre dans l'ordre ». Merci, petit Jésus, la société a eu chaud, poilaudos ! Elle est bien triste, cette rubrique où enfants et adultes perdent ensemble une chance de libération... Gotlib dit : « Les illusions entretenues depuis l'enfance, agrémentées du fameux cliché '' comme c'est triste de perdre ses illusions '', sont sûrement un des plus beaux pièges à cons qui soient. Pourquoi, dans quel but mystérieux élever des êtres dans des '' illusions '' alors qu'il serait à mon sens bien mieux de les élever dans les réalités réelles ? Pour un enfant à qui on a enfoncé dans le crâne pendant plusieurs années le clou '' Père Noël '', ça doit être une véritable tragédie — une de plus — lorsqu'il apprend que ledit bonhomme n'existe pas ! Sans compter le côté '' carotte '' de ce mythe : si t'es sage, le Père Noël... Si t'es pas sage, le Père Noël... »

1. N° 581 (1970).
2. N° 633 (1971)

L'enfance sans indulgence

Mais cette histoire est une exception. Lorsque Gotlib peint des enfants, il les oppose immanquablement à la connerie ou à la faiblesse adultes. Victimes du monde des « grands », ils jugent implicitement celui-ci, sans la moindre indulgence. Dans *Les habitants de la Lune*, rubrique où l'auteur a mis ceux qu'il aime (par ordre croissant) et ce qu'il croit, il y a une colonie de mômes qui avancent d'un air grave, presque recueilli : « C'est le conseil des sages », annonce le commentaire (ill. 53). C'est dire que la vraie sagesse n'est pas le fait des faux '' adultes '' ! Cette sagesse-là, c'est le sens du jeu, le jeu tel que l'a défini Nietzsche, le jeu comme accomplissement métaphysique : acte supérieur de prise de possession du monde, il n'y a rien de plus profond qu'un enfant qui joue et rien de plus beau que son rire sonnant comme une victoire. Il y a plus de richesse et de grandeur dans le cerveau d'un enfant et dans le jeu qu'il se crée que dans toute la somme de toute la pensée de tous les hommes, telle qu'elle est enfermée aux flancs de toutes les bibliothèques ! Gotlib est de cet avis lorsqu'il déclare (idée reprise dans le texte *Un raisonnement frappé au coin du bon sens,* dans l'ÉCHO n° 5) : « Je crois que dans une vie, ce qui est fait le plus sérieusement, ce ne sont pas les discours électoraux ou les débats télévisés ou les gestions de sociétés, etc., et d'une façon générale tout ce dont on dit que c'est du « sérieux » ! (Attention, hein ! On ne rigole pas avec ça !... C'est sérieux !) Dans une vie, ce qui est fait avec le plus de sérieux se situe au début, au tout début : c'est lorsqu'un enfant '' joue ''. Il faut voir la gravité du visage d'un enfant qui joue. Il accomplit là incontestablement un acte extraordinairement sérieux ! Et dans cette mesure-là, l'idéal ne serait-il pas de s'efforcer au maximum de '' jouer '' sa vie, ce qui, fatalement, serait la façon la plus sérieuse de la vivre ? En tout cas, c'est à ça que j'aimerais arriver... »

On a déjà beaucoup parlé des épisodes intimistes et méditatifs, les propres souvenirs d'enfance de Gotlib. Je veux simplement aborder ici l'autre catégorie de rubriques enfantines, celles où le « petit » vient juger les « grands ». Ces adultes, ou plutôt ces « grands gosses » sans lumière, ils prennent souvent l'apparence de profs, technocrates, financiers, politiciens et autres messieurs souvent dessinés avec les traits (lointains) de Giscard d'Estaing. Ils sont résumés à *Vous êtes en pleine science-fiction, mon cher !* [1], acide présentation de ces empêcheurs de rêver en rond et d'être libre. C'est ce même type d'hommes qui reviendra dans L'ÉCHO sous les traits du censeur, mais il aura changé de modèle et je dirai à qui il ressemble dans le prochain chapitre (vous ne croyez tout de même pas que je vais tout vous dire ici !). J'ai donné déjà quelques exemples de cette série de la « R.A.B. ». Saluons toutefois l'éphémère retour de Chaprot, avec son père et le père Raffray dans *Le réjimant de papa,* bonne dénonciation de la bêtise et de l'armée (mais voyons ! c'est un pléonasme). Et de même qu'Hamster Jovial sera bafoué par ses louveteaux ou le maire du *Bois Huon* insulté par le petit garçon qu'il fut, de même, dans

Disons-le tout net, le gendarme sûr de lui se voit tourné en bourrique par les gamins qu'il croit « éduquer ». C'est ce genre d'histoires très réconfortantes qui nous permet d'espérer en des jours meilleurs. Gotlib dit : « Quand on parle des enfants, on admire généralement leur pureté, leur beauté, etc., alors que, moi, j'admire surtout leur liberté, leur disponibilité, leur amoralité : les mômes ne sont pas encore marqués par une série de tabous, ils sont libres en esprit et en actes. Cette amoralité, il est difficile de la préserver lorsque le culturel arrive ; il faut composer avec tout le reste, la liberté se perd. D'un autre côté, il faut admettre que, dans la vie, tout est basé sur la notion de désir. Abolir cette notion-là, c'est-à-dire appliquer à la lettre les théories progressistes — « Prenez vos désirs pour des réalités », etc. —, c'est immanquablement enlever toute saveur à la vie : la réalisation immédiate des désirs finit toujours par blaser. En définitive, c'est malheureux à dire, mais on peut se demander à quel point la liberté un peu entravée n'est pas justement le moteur principal de la vie ! Mandryka m'a un peu ouvert les yeux sur cette contradiction assez épouvantable. »

Censure et liberté d'expression

Loin de moi l'idée de vouloir peu ou prou justifier la censure. Je la condamne sans appel, depuis toujours, et plus encore depuis que j'en ai moi-même été victime [1]. Marcel aussi ne songe pas un instant à défendre cette ignoble « institution », bien représentative de l'abomination judéo-chrétienne, politico-morale et policière qui régit notre monde. Mais il faut avouer que le raisonnement ci-dessus tient debout, du moins sur le plan de la création : l'entrave contournée peut être un moteur de l'imagination, un moyen d'activer la prouesse technique (la technique repose bien sur un certain nombre d'épreuves à surmonter). Dans PILOTE, à cause des/grâce aux limites imposées par le journal, la « R.A.B. » s'est quelquefois surpassée pour aller très loin sans en avoir l'air, et Gotlib est arrivé à de surprenants résultats parce qu'il avait trouvé une ingénieuse méthode pour tourner la loi. Les plus grands plaisirs, c'est bien connu, sont les plaisirs défendus, ceux que l'on se donne avec le frisson pervers des interdits transgressés, ceux que l'on goûte d'autant plus qu'on savoure en eux le viol d'un tabou. Sur le plan purement matériel, il en va pratiquement de même avec la notion de faiblesse compensée : certains manques amènent à des acrobaties qui entraînent des résultats plus spectaculaires que s'il n'y avait pas eu manque. Un Reiser, par exemple, a su génialement exploiter certaines faiblesses techniques qui ont fait de lui pratiquement le premier cartoonist de son temps. Dans un ordre d'idées parallèle, c'est Beethoven composant ses plus belles musiques en état de surdité, c'est Pancho Segura, champion de tennis en dépit de la polio, c'est Cendrars écrivant du bras gauche, après avoir perdu l'autre, c'est René Simon, bègue se corrigeant par une méthode personnelle de rééducation et devenant professeur d'art dramatique, c'est le charme discret de certaines personnes qui louchent, et les exem-

---

1. N° 511 (1969) et album n° 2.

1. Censure politique : empêchements de jouer mon spectacle **Oratorio concentrationnaire,** en 1969. Censure morale : triple interdiction, en 1971, de mon livre **Mémoires d'Adam-François San Hurcelo Lumneri, pornographe** (L'Or du Temps, éditeur).

LA RUBRIQUE-A-BRAC

C'EST L'HISTOIRE D'UNE PETITE FILLE QUI S'EN VA PORTER À SA GRAND'MÈRE UNE GALETTE ET UN PETIT POT DE BEURRE. ELLE EST CONNUE, REMARQUEZ.

MAIS LES BONNES CHOSES, C'EST TERRIBLE, ON NE S'EN LASSE JAMAIS.

LE PETIT CHAPERON ROUGE, QU'ELLE S'APPELLE, LA PETITE FILLE. À CAUSE DE SON CHAPERON. QUI EST ROUGE, DONC.

ICI (LÀ ON NE VOIT PAS BIEN PARCE QU'IL MANQUE LA COULEUR, MAIS IL EST ROUGE)

LE CHAPERON, D'AILLEURS, IL Y EN A QUI LE DESSINENT COMME ÇA. ÇA DÉPEND DU STYLE. IL N'Y A PAS À PROPREMENT PARLER DE RÈGLE.

C'EST PAS MAL AUSSI

BON, J'AI PLUS BESOIN DE ÇA MAINTENANT.

ENFIN, MOI, JE LE FAIS COMME ÇA. LE PRINCIPAL, APRÈS TOUT, C'EST DE FAIRE UN CHAPERON, COMME JE DIS TOUJOURS.

BEN OUI

C'ÉTAIT JUSTE POUR POSER POUR LA COUVERTURE

UN CHAPERON. UN GENRE DE CHAPEAU. ENFIN UN GALURE, QUOI. ON VA PAS S'EMBÊTER UNE HEURE AVEC ÇA, HEIN...

BON ALORS ON VA POUVOIR Y ALLER ALORS?

ON Y VA?

HO HO, DU CALME, FAUT PAS ME BRUSQUER. DONC, AU DÉBUT, SA MÈRE LUI DIT D'ALLER PORTER UNE GALETTE ET UN PETIT POT DE BEURRE À SA GRAND'MÈRE. ÇA COMMENCE COMME ÇA.

FAIS BIEN ATTENTION EN ROUTE

ET LE PETIT CHAPERON ROUGE PART, RAVIE À LA PERSPECTIVE DE CETTE PROMENADE.

MAIS EN CHEMIN, VOILÀ-T-Y PAS QU'ELLE RENCONTRE L'OGRE. PESTE, PESTE, SE DIT-ELLE. ET... À CE MOMENT-LÀ...

GUILI GUILI

...HEU... NON... JE NE CROIS PAS QUE ÇA SOIT ÇA... ATTENDEZ-VOIR... BON. JE RECOMMENCE.

FAUDRAIT SAVOIR

ALORS, DONC, SA MÈRE LUI DIT DE PORTER UNE GALETTE ET UN PETIT POT DE BEURRE À SA GRAND'MÈRE. C'EST DÉJÀ UN POINT D'ACQUIS.

TU FERAS BIEN ATTENTION

ET LE PETIT CHAPERON ROUGE PART, RAVIE À LA PERSPECTIVE DE CETTE PROMENADE.

MAIS EN CHEMIN, PAN... D'UN SEUL COUP... HEU... PAF... COMME ÇA, SANS QU'ON S'Y ATTENDE... HEU... TOC... HEU... MINCE ALORS... ÇA C'EST PAS MAL

...JE SAIS QU'ELLE RENCONTRE QUELQU'UN, MAIS PAS MOYEN DE ME RAPPELER QUI... JE RECOMMENCE... ÇA VA ME REVENIR.

EN TOUT CAS, LE DÉBUT, C'EST ÇA. J'EN SUIS SÛR. SA MÈRE LUI DIT... ENFIN... COMME AVANT.

TU PORTES ÇA À MÉMÉ

D'AC

CE COUP-CI JE RESTE LÀ J'ATTENDS UN COUP DE FIL

ALORS, ELLE PART, RAVIE, ET ELLE RENCONTRE... ELLE RENCONTRE... HA FLÛTE... C'EST UN MONDE...

AH OUI!... ÇA Y EST!... ELLE RENCONTRE LE LOUP!... OUF!... EH BEN ÇA VA MIEUX!...

EH BEN VOILÀ!

HAA!

C'EST ÇA!

VOUS VOYEZ!

ÇA VIENT PETIT À PETIT!

À LA BONNE HEURE!

EH BEN!

BON, ALORS ON Y EST. ELLE RENCONTRE DONC LE LOUP. ET ENSUITE... ATTENDEZ, JE PRÉFÈRE TOUT REPRENDRE DU TOUT DÉBUT. ON Y ARRIVE, ON Y ARRIVE.

BON D'ACCORD

ZOU ALLEZ

ON RECOMMENCE TOUT

ples de cet ordre ne manquent pas. Dans le cas de Gotlib, ses faiblesses pratiques lui ont permis d'être ce qu'il est : dessinant lentement, il n'en dessine que mieux, mauvais « décoriste », il supprime totalement le décor et se rattrape sur les personnages, piètre coloriste, il sait choisir les tons les mieux accordés à sa « vulgarité », incapable de raconter une histoire comme les autres, il s'invente un monde original rien qu'à lui, sans lequel le présent livre ne se justifierait pas... « A la limite, explique-t-il, on pourrait presque inversement qu'un type qui a trop de facilité en est handicapé. C'est assez fou ! De là à dire que, pour être fort, il faut avant tout être faible, il n'y aurait pas beaucoup plus qu'un pas... On vit depuis des millénaires dans un monde où la force prime. Etre faible, on en a honte : il faut avoir du COURAGE et de la VOLONTÉ ! Et que Dieu soit avec nous... Mais si c'est

63. Papa Noël insolite...

(SCHTROUMPFLIB)

62. Dessin de Peyò

réellement Dieu qui nous a faits, pourquoi qu'il ne nous en a pas donné, du courage et de la volonté ? Et puis les religions sont tellement cons qu'elles trouvent le moyen de dire d'un côté que seul Dieu est le Maître tout-puissant, régnant en dictateur absolu sur toute vie, et d'un autre côté '' Aide-toi, le ciel t'aidera '', ce qui signifie exactement le contraire, à savoir : '' Compte d'abord sur toi-même avant de compter sur quoi que ce soit d'autre '' !... Enfin, tout ça c'est pour dire, hein... »

Incontestablement, sa liberté entravée lui a donné l'occasion de faire des rubriques équivoques parfois aussi puissantes que ses bandes pour L'ÉCHO. Je songe ici à *La géniale déduxion* (ill. 64) torrentielle antithèse des « histoires pour les jeunes » : une fillette se fait culbuter sur un tas de charbon par un bambin de son âge tandis qu'un autre garçonnet candide vient devant nous jouer les grandes folles et faire du plat à Bougret-Charolles... Avant le « tract du docteur Carpentier », avant le sexe à l'école, des sujets comme celui-là, on n'avait pas l'habitude d'en rencontrer dans la presse enfantine, à cette époque-là ! Il est facile de deviner que cette rubrique a passé de justesse, peut-être même contre le gré du directeur (surtout que c'est lui qui violait la fille, et Fred était la grande folle !). Mais elle a pu paraître parce que justement l'auteur usait d'habiles expédients pour faire passer le morceau. Du coup, l'impact s'en trouve renforcé, aussi vrai que l'érotisme est souvent plus émouvant que la pornographie parce qu'il use de sous-entendus aptes à titiller l'imagination. C'est à cette époque que Gotlib a commencé de se sentir à l'étroit dans le cadre d'un journal pour adolescents (chers petits qu'il ne faut surtout pas pervertir !). Il a donc adopté des biais pour exprimer certains sujets essentiels en se tarabustant le cerveau d'une manière étonnante. Si l'affaire de mœurs précitée a pu paraître, c'est parce qu'il y était mis en scène des enfants — d'où : merveilleuse innocence, candeur des petits anges, etc. — s'exprimant qui plus est à la façon des tout-petits. Selon le même esprit, *L'acte sexuel chez les animaux* a fait passer de main de maître une situation à coup sûr « scabreuse » pour bien des gens. L'insertion de photos anodines au moment de décrire le coït animal est un coup de génie ! Plus tard, après la parution de L'ÉCHO, Gotlib a fait à PILOTE une bande intitulée *Un peu de poésie que diable* [1], à la limite de l'ordurier, pleine d'images et de phrases virtuellement « répréhensibles ». Mais le journal avait déjà quelque peu évolué, lui aussi. Quand je pense qu'il n'y a pas si longtemps que Jean Roba s'est fait rappeler à l'ordre pour avoir suggéré le fessier de quelques

1. N° 689 (1973).

mômes, dans SPIROU, et que Franquin me confiait ses craintes au sujet d'un « Gaston » où il avait écrit quelque chose dans le genre de « crévindju » !

Le langage et le reste

Cela m'amène à conclure ce chapitre par une remarque concernant le langage dans la « R.A.B. » et l'utilisation gotlibienne (bigre !) du Verbe. Si *La géniale déduxion* a pu paraître sans dommage, c'est justement grâce au style d'écriture adopté. La technique du texte « enfantin », le parler à la manière des petits est une vieille habitude de Gotlib depuis les « Dingodossiers » et sa série en solitaire sur l'élève Chaprot. Non seulement elle apporte à l'histoire une dimension drôle et émouvante, mais elle autorise, comme dans ce cas précis, des audaces graphiques ou de situation. Mais Gotlib joue diversement du langage : il invente sa propre langue, il triture le français, brasse les expressions d'origines diverses, il se crée une forme de poésie brute en s'amusant du Verbe. Ainsi naît le pseudo-anglais de *Pas si facile qu'on croit,* avec les conseils d'un vieux gorille anglomane, ou le dialecte prétendument « nègre » des *Conteurs* (ill. 65), formidable rubrique à la langue imagée. D'autres exemples encore, tel le sabir international de *Der rubrica of the bracofsky* [1], désopilant moyen de rapprocher les peuples ! Bien qu'utilisé par Goscinny dans les « Dingodossiers », ce

1. Nº 512 (1969) et album nº 2.

sabir existait déjà dans « Gai-Luron », puisque *Dépaysement* [1] est entièrement rédigé en polyglotte. Quoi d'autre ? *L'absurbe,* évidemment, où l'auteur se devait de parler « absurbement ».

C'est à partir de 1969 que Gotlib se met à écrire des nouvelles (dont quelques-unes, inédites, sont recueillies en fin de ce volume), des chansons (un disque paru — cf. Bibliographie), à rechercher son univers dans l'expression écrite. C'est aussi depuis cette époque qu'il s'essaie au cinéma, écrivant des scénarios dont il espère prochainement la réalisation. Le fait d'accorder une telle importance au langage lui vient probablement de son expérience radiophonique. Et encore : si l'on remonte jusqu'à « Gai-Luron », on s'aperçoit qu'alors il se livrait dans ses textes à des recherches diverses. Et même si l'on remonte encore plus loin, avant VAILLANT, on découvre certaines contes et récits illustrés dont il avait ciselé le texte à l'instar d'une Mère l'Oye soucieuse de sa qualité ! Et je ne veux pas terminer sans mentionner un terme désormais indissociable de la « R.A.B. » : ces BROCOLIS que Marcel a longtemps cuisinés, jusque dans L'ÉCHO DES SAVANES ! Exemple type d'un mot adopté parce qu'on le trouve marrant (origine dans une publicité pour le minestrone Knorr, comme dans L'ÉCHO nº 1). Gotlib nous a beaucoup servi ses brocolis sans trop savoir ce que ça signifiait : il y a peu qu'on lui en a offert, et il les a trouvés plutôt savoureux, au demeurant...

1. VAILLANT, nº 1158 (1967) et album « Gai-Luron ».

64. *« La géniale déduxion »*

LES CONTEURS

M'BALA OUMBOULÉLÉ EST
UN DES PLUS VIEUX SAGES,
AU SEIN DE LA TRIBU DES
OUMBOUMBALÉS NG'ALA.
IL N'A PAS SON PAREIL POUR
CONTER TOUTES LES MER-
VEILLEUSES LÉGENDES DE
SON PAYS, TRÉSORS ANCES-
TRAUX TRANSMIS ORALE-
MENT DE GÉNÉRATION EN
GÉNÉRATION. LA R.A.B. LE
REÇOIT AUJOURD'HUI.
LAISSONS-NOUS EMPORTER
PAR SES PAROLES SUR
LES FLOTS DU RÊVE... RE-
TROUVONS NOTRE ÂME
D'ENFANT... FERMONS LES
YEUX ... ÉCOUTONS-LE ...

65. Jeux de langage

cinquièmement:
l'écho des savanes,
rénovation ou terminus?

SADOUL. — Lorsque le numéro un d'HARA KIRI est paru, vers 1960, tu es allé proposer tes services à ce nouveau journal qui t'emballait : si l'affaire avait marché, ta carrière aurait maintenant un tout autre visage.

GOTLIB. — Exact. Bernier (à l'époque chevelu) et Cavanna m'avaient plutôt bien accueilli et m'avaient demandé de retravailler les « Simplicons » que je venais de faire pour Edi-Monde. Mais je crois bien que je me suis dégonflé et que je n'ai pas insisté. Il faut dire aussi que le « conseiller artistique » du journal, en l'occurrence Fred, ne m'avait pas accueilli favorablement, lui ! Sans cette intervention négative, j'y serais peut-être retourné, et je me trouverais actuellement dans un univers parallèle où j'aurais fait mes dix ou douze dernières années professionnelles en partant d'HARA KIRI : les choses seraient à coup sûr très différentes pour moi aujourd'hui. Et alors, à PILOTE, j'ai retrouvé l'ancien « conseiller artistique » qui m'avait découragé et on a souvent évoqué cette histoire par la suite. « Salaud ! lui disais-je. Tu vois, c'est de ta faute, c'est toi qui n'as pas voulu de moi ! etc. » Pour se marrer, bien sûr. Remarque que pendant un moment, j'ai vraiment été en boule contre Fred car HARA KIRI m'excitait tellement à sa sortie que j'y aurais travaillé même à l'œil (à une époque où je ne gagnais pas des masses) ! Mais l'opinion de Fred était après coup que je n'avais rien à regretter : peut-être qu'il avait raison, peut-être pas... On ne peut pas savoir, avec ces saletés d'univers parallèles !

S. — Et tu n'as plus eu de rapports avec HARA KIRI ?

G. — Plus jamais. A l'exception bien sûr des membres de l'équipe qui ont travaillé avec moi à PILOTE : Gébé, Cabu, Reiser ont été pour moi des copains de rédaction, quand même !

S. — Mais on t'a fait plus ou moins des propositions pour collaborer aux journaux du groupe. Et après la sortie de L'ÉCHO n° 2, Cavanna s'est longuement rappelé à ton bon souvenir dans un article de CHARLIE HEBDO qui était une espèce d'appel du pied...

G. — Son article était très élogieux et on pouvait en déduire que, si je lui proposais de nouveau mes services, il ne dirait pas non. Encore que je ne suis pas bien certain d'être efficace pour l'HEBDO. Dans CHARLIE (mensuel ?) ou dans HARA KIRI, j'aurais été probablement plus à l'aise. De toute façon, j'ai un peu peur d'entrer dans une nouvelle équipe, peut-être parce qu'au fond je désire trouver une « famille ». Or, je sors d'en prendre et j'ai l'expérience de tout ce que ça peut avoir d'aliénant pour moi, compte tenu de mon tempérament... Et puis après tout, peut-être que la « famille HARA KIRI » est plus tyrannique encore que la « famille PILOTE » !... Il y a aussi que les rapports ont toujours été assez tendus entre la « famille PILOTE » et la « famille HARA KIRI ». A ce sujet, il faut dire que Cavanna a charrié plus d'une fois, démolissant PILOTE comme un fou, avec une hargne assez trouble, comme jamais par exemple il n'a démoli un canard du genre de MINUTE, une hargne qui sentait un peu le conflit concurrentiel... En définitive, si on prend du recul, tout ça est assez con parce qu'il faut bien le reconnaître, Goscinny et Cavanna, chacun dans sa ligne propre, ont certainement été les deux plus grands « promoteurs journalistiques » (si tu trouves une autre tournure...) de l'après-guerre. Sûrement que ça ne plaira ni à l'un, ni à l'autre que je dise ça. Mais en se plaçant d'un peu haut, en tâchant de dédramatiser, de « dépassionner » les choses, ça me paraît assez évident...

66. Dessin d'Yves Got

S. — « Hamster Jovial » marque le début du processus de coupure du « cordon ombilical ». Comment cela s'est-il passé ?

G. — Au début, « Hamster Jovial » n'avait aucun pouvoir d'exorcisme, je ne le concevais pas comme une tentative de couper quoi que ce fût. C'était simplement une page qu'il m'amusait de faire dans ROCK & FOLK. Je dois toutefois avouer que ça me faisait aussi plaisir de travailler dans un canard différent de PILOTE. Ce n'était d'ailleurs pas bien mobilisant, seulement une page mensuelle.

S. — Mais pourquoi et comment ROCK & FOLK ?

G. — Je lisais ROCK & FOLK depuis longtemps, et un jour, vers 1967, j'en parcourais un numéro en prenant un café, dans un troquet à Chatou, où j'habitais à l'époque. Dans la rubrique des disques, je suis tombé sur une critique de Philippe Koechlin parlant d'un disque d'Eddy Mitchell qui venait de sortir, et dont la pochette avait été dessinée par Giraud. A partir de ce disque, Koechlin digressait sur la B.D. et il me citait, disant très gentiment : « Qui n'a pas lu les œuvres complètes de Gotlib ne sait pas ce que c'est que la vie. » Je me suis senti fondre de bonheur !... Alors, on a cherché à se rencontrer, on s'est rencontrés et il m'a dit : « Si vous avez une idée, on n'est pas contre. » Il m'est venu ce truc dingue en point de départ : un mec qui essaierait d'assimiler le phénomène pop au

Hamster Jovial et la pop, par Gotlib

67. Le premier « Hamster Jovial »

travers de ses manifestations les plus artificielles (le fait de bouger le cul, pour Mick Jagger, de rouler des galoches à des nanas, pour Presley, ou de jouer de la flûte debout sur un pied, pour Ian Anderson de Jethro Tull, ce dernier inaugurant la série) et qui tâcherait de l'intégrer dans sa vie de chef scout.

S. — Un scout te paraissait-il capable de représenter complètement l'opposition de ton thème original ?

G. — Absolument, oui. Déjà, prendre un type qui ne connaît rien au pop, c'est rigolo ; mais prendre un scout, c'est-à-dire vraiment le contraire du réel esprit pop, c'était plein de possibilités. En plus, c'est lié au fait que je ne suis pas un spécialiste de la pop-music et qu'il fallait quand même tourner autour de celle-ci, dans ROCK & FOLK.

S. — Alors tu es un spécialiste du scoutisme ?

G. — Non plus. Mais j'ai toujours eu un « faible » pour les patrouilles, le mouvement, les chefs, tout ce qui tourne autour du scoutisme, parce que je trouve que c'est une des choses les plus affreuses qui existent : tout ce qui est patronage, scoutisme, catéchisme, etc., c'est tout simplement effroyable ! C'est réellement le sabre et le goupillon pour gosses. Les louveteaux, c'est terrible : des enfants de troupe déguisés ! Bien sûr, si on leur dit ça, ils vont se mettre à hurler. Mais il ne faut pas oublier, qu'au départ, le scoutisme est un mouvement para-militaire : Baden-Powell a fondé les premières patrouilles pendant la guerre des Boers, je crois, dans un esprit essentiellement militaire et religieux. On apprend aux scouts à monter le drapeau, à marcher au pas, à vivre en soldats : c'est une manière d'éduquer les enfants plutôt contraire à l'esprit de liberté, tu ne crois pas ?

S. — Evidemment, et ça entre dans le contexte logique de « Travail-Famille-Patrie » : ça fait partie du processus éprouvé qui commence à l'école et au catéchisme, passe par le scoutisme et le service militaire, et s'achève dans le mariage, le boulot, la retraite. C'est un fabuleux bourrage de crâne qui fait de toi un « bon citoyen », du moins, en principe... On « se range », avec une femme, des enfants, on va à la messe, on évite de se poser des questions et on va se coucher sous terre avec la conscience nette de celui qui a vécu « en conformité ».

G. — C'est exactement ça. Moi, je suis un peu rangé, j'ai une femme et un enfant, bien sûr. Mais je n'ai du moins jamais été scout ! Je ne suis jamais allé à la messe, non plus. Remarque, j'ai été à la synagogue ! Mais c'était il y a longtemps, on m'y avait traîné malgré moi. Bref, il n'y a rien de plus triste que des scouts et, surtout, des louveteaux, parce que ceux-ci sont très jeunes. Ensuite, il n'y a rien de plus con que les chefs scouts, principalement les vieux !

S. — J'imagine que tu n'avais naturellement pas prévu l'évolution de cette série vers une telle liberté d'expression ?

G. — Non, bien sûr, parce que, comme d'habitude, ça m'a échappé au bout d'un moment. Ça a commencé à devenir un peu plus « osé » sur le plan de la forme : on a lu des gros mots, on a vu des quéquettes, etc.

S. — Est-ce que cette évolution ne serait pas consécutive à l'apparition de L'ÉCHO DES SAVANES ?

G. — Non, elle a commencé avant L'ÉCHO : le premier numéro du canard est paru en mai 72 (j'ai dessiné en avril les histoires qui y sont passées), et c'est dans le quatrième « Hamster Jovial » — ROCK & FOLK de février 72 — que j'ai montré une bite (ill. 68). Mais il est certain que tout ça est lié, c'est la même période. Dans ce quatrième « Hamster Jovial », le mec voit Mick Jagger dans *Gimme Shelter* et s'achète un slip vachement moulant pour remplacer son gros short baveux. Et il se met à chanter « Flamme pure et légère... » à la manière de Mick Jagger, en donnant de grands coups de reins et en tortillant du cul. Les mômes le regardent et ça les excite de plus en plus, jusqu'au moment où ils se ruent sur Hamster Jovial, lui arrachent son short et le gars se retrouve à poil en disant : « Dieu m'est témoin que je n'ai pas voulu cela. » Ce qu'il y a de marrant, c'est qu'à l'époque, je n'avais pas vu *Gimme Shelter*. Je l'ai vu il y a peu de temps et je m'aperçois que ça collait drôlement bien avec l'esprit du gag.

S. — Tu veux parler de la progression de la tension, dans le film et dans ton gag ?

G. — Voilà, c'est ça. Dans le film, il y a une étude très bien faite de la montée de la violence au sein de ce festival d'Altamont, qui a abouti au meurtre d'un Noir. Et on sent monter la tension, on sent l'ascension de la violence, et en même temps, on voit Jagger et les

68. La première bite de Gotlib !

Stones visionnant le film dans le film, avec l'air vachement navré. Pendant le meurtre, Jagger essaie d'apaiser la foule : eh bien, ça, c'est exactement l'équivalent de « Dieu m'est témoin que je n'ai pas voulu cela » ! Les Stones, de par la forme de leur spectacle, de par leur manière d'évoluer, sont les principaux moteurs de cette violence montante. Pareillement, Hamster Jovial, avec son short collant et ses coups de cul, excite les mômes au point qu'ils finissent par le déloquer.

S. — Cette planche-là est la première de ta carrière où tu dessines une bite. Peut-on donc dire que c'est la première planche où tu as eu le sentiment de te « libérer » ?

G. — Oui, mais le terme me semble un peu trop pompeux : disons que cette planche est le début d'une « tentative de libération ». Je n'aime pas les mots qui, voulant dire quelque chose au départ, deviennent des clichés totalement vides : « libération », « récupération », « fête », tout ça ne veut plus rien dire et ça devient presque un snobisme d'employer ces mots ! En plus, la notion de « libération » prend très vite, de la part de ses plus farouches défenseurs, une allure équivoque. Il existe presque un « fascisme » de la libération, dans la mesure où des individus soi-disant « libérés » n'arrêtent pas de faire chier le monde en hurlant à tout bout de champ : « Libérez-vous ! Vous êtes tous des minables ! Vous êtes tous des refoulés ! etc. » Je dis ça parce que j'ai eu personnellement affaire à ce genre de types qui ne se rendent pas compte, primo, que s'ils sont tellement grincheux, c'est peut-être qu'ils devraient commencer à s'occuper sérieusement de leur propre libération avant de jouer les bons apôtres, et secundo, que la libération individuelle — comme son nom l'indique — est affaire d'individu. Insulter des gens en les traitant de « non-libérés », c'est le meilleur moyen de les culpabiliser, et donc, de les enfoncer encore plus ! Pour en revenir à nos moutons, parlons en ce qui me concerne de tentative de libération, mais qui n'est pas apparue comme ça, d'un seul coup ; c'est la suite logique du reste. Maintenant, je suis d'accord avec toi : dans l'espace et le temps, la planche en question est une charnière de l'évolution, un témoignage matériel : la première bite publiée par Gotlib !

S. — Passons maintenant à la gestation de L'ÉCHO DES SAVANES.

G. — C'était au congrès de Lucca, en 71. Je n'avais pas encore commencé « Hamster Jovial ». On était toute une bande, un jour à midi, dans un restaurant, en train de déconner. Entre autres, Mandryka (Claire Bretécher n'était pas venue à Lucca), qui disait que ça serait marrant comme tout de faire un canard un peu porno, pour rigoler. On s'était tous claqués sur les cuisses et, dans mon esprit, c'était vraiment une de ces idées en l'air, comme on en a beaucoup et qui entrent rapidement dans les tiroirs de l'oubli... Après, Nikita et moi, on en a parfois reparlé, mais toujours en restant dans le vague et en plaisantant à demi. Et le coup de pied au cul a été donné à Nikita quand PILOTE lui a refusé une histoire qui lui tenait très à cœur : le Concombre masqué qui regarde pousser des rochers, histoire publiée dans le premier ÉCHO.

S. — C'était très beau ! Pourquoi lui a-t-on refusé ça ?

G. — A vrai dire, je n'en sais rien. Et c'est ça qui a poussé Mandryka a réaliser un canard, car c'est lui la source de L'ÉCHO. Un jour, il me raconte sa mésaventure et il me dit : « Alors, voilà, je vais la publier quand même : si tu veux, on va faire notre journal ! Toi, tu fais tes pages, moi, j'ai déjà presque fini les miennes. » Puis il m'a téléphoné pour m'annoncer que Claire était d'accord de le faire avec nous : bon, j'ai trouvé ça chouette, j'étais ravi de la tournure que prenaient les événements. Mais tandis que Nikita bossait à mort là-dessus, je n'arrivais pas à commencer mon histoire pour le premier numéro, je merdouillais péniblement. Mandryka s'activait, s'occupait de la fabrication et il a fini par me dire : « Il faut que tu aies fini à telle date, et Claire aussi ! » Je me suis donc grouillé. Nikita est venu chez moi chercher mes planches, il a pris celles de Claire, et c'est parti... Mais en fait, entre Lucca et la sortie de L'ÉCHO, il s'est bien passé sept ou huit mois.

S. — C'est Nikita qui a tout organisé ?

G. — Au départ, c'est vraiment lui le moteur du canard. Il en est d'ailleurs gérant, directeur de la publication. C'est lui qui a trouvé le titre, c'est lui qui a dessiné le label des « Editions du Fromage ». Il est réellement l'âme de l'entreprise. Claire est venue de l'extérieur et, dans le premier numéro, son histoire du chien était une reprise [1].

S. — C'est amusant : au début, il y avait vraiment une échelle dans la passion et la participation ! Au premier numéro, Claire était encore extérieure au journal et, toi, tu étais un peu à l'écart.

G. — C'est ça, et tout le monde a été dans le coup pour le numéro deux.

S. — Et comment vous étiez-vous réparti la tâche administrative et technique ?

G. — Il n'y avait pas d'administration mais un gros bordel qu'on essayait d'organiser tant bien que mal. Nikita s'occupait de presque tout, jusqu'au jour où je me suis chargé des abonnements. Et maintenant, on s'est presque complètement organisés. On a établi une société avec bureau, secrétariat, service d'abonnements, diffusion, comptabilité, etc. Ça commence à peine à émerger du brouillard ! Il y a eu une période très dure, entre les numéros 3 et 4, où on s'est aperçu que ça prenait pas mal d'ampleur et qu'il fallait absolument régulariser un tas de trucs sous peine de sombrer dans les problèmes administratifs. Une administration mal organisée, c'est encore plus le foutoir que pas d'administration du tout !

S. — Vous avez commencé avec de petits tirages — 5 000 exemplaires environ. Pensiez-vous au succès que ça pourrait avoir ?

G. — Certainement pas ! J'avais filé ma part de fric parce que j'étais content de le faire, ça m'amusait de participer à cette expérience. L'histoire que j'ai faite dans le n° 1 était finalement assez anodine : elle choquait bien entendu par rapport à ce que j'avais fait jus-

1. **Mémoires d'un chien de race...,** reprise de TOTAL JOURNAL, n° 30 (novembre-décembre 1970).

69. *L'adulte ridiculisé*

qu'alors. Mais dans l'absolu, elle était plutôt inoffensive. J'y pensais depuis très longtemps. Il y a longtemps que je rêvais de dessiner un mec en train de roter, de péter et, surtout, de faire des petites choses comme passer sa main sous son bras et puis sentir ses doigts, ou se décrotter le nez et foutre la crotte sous la table.

S. — Là, c'est ton côté scato, ton côté « grand enfant » qui se déchaînait.

G. — J'ai toujours été passablement scato, et c'est un truc qui m'a toujours fait marrer. Ça doit être une fixation au stade sado-anal. Tous les dessins que j'ai faits pour L'ÉCHO n° 1, j'y pensais depuis longtemps et je les avais notés sur mes carnets. Et puis on a fait le numéro 2, où c'est devenu assez salé : c'est l'histoire du *Bois Huon.* C'est là que L'ÉCHO a commencé à devenir important pour moi.

S. — C'est ça, tu découvrais une fois de plus que ce moyen de t'amuser pouvait te permettre de t'extérioriser. Ça devenait sérieux : tu t'amusais en réfléchissant, quoi... Mais le succès du journal devenait sérieux, lui aussi.

G. — Oui, et ça nous a vachement surpris. On nous a conseillé alors de passer au stade de revue professionnelle, ce qui était problématique, vu le contenu du journal. On est allé consulter un avocat qui nous a dit de faire gaffe et d'apposer la mention « Réservé aux adultes » sur la couverture. Quand le n° 2 est sorti, on l'a mis en vente à la convention de Paris, où on avait un stand : on en a vendu 700 dans la journée ! Puis le numéro 3 a été épuisé en trois semaines. On a augmenté notre tirage et on va tâcher de continuer... Il était vital pour nous de tout faire par nous-mêmes, fabrication et administration comprises : ça entrait dans un processus d' « auto-détermination » dont nous avions besoin. Maintenant, quand ça marchera bien, on verra quelle attitude adopter.

S. — Est-ce que vous vous reconnaissez la définition de journal « underground » ?

G. — Je n'en sais rien... Je ne sais pas bien ce que veut dire « underground ».

S. — Mais si, tu le sais très bien : tu joues les coquettes ! La B.D. underground française ne pullule pas encore. Il y a bien sûr certains fanzines, certains canards quasi confidentiels. Mais des journaux underground « officiels », il y en a peu : ZINC, LE CANARD SAUVAGE, L'ÉCHO DES SAVANES...

G. — J'aime assez l'expression « underground officiel » ! D'accord, mais alors, ZINC, par exemple, me semble plus conforme à la définition que nous ne pouvons l'être : les Guitton, les Nicoulaud, etc., ont un style beaucoup plus particulier que le nôtre, plus éloigné du style B.D. traditionnel, alors que, nous, on continue en fait dans le style habituel.

S. — Dans votre style habituel à vous, pas celui de la B.D. traditionnelle. Si on veut admettre que ton dessin est encore « classique », celui de Claire rompt avec le classicisme et s'accorde parfaitement avec ce qu'il veut dire. Quant à Nikita, depuis longtemps, il dessine en marge de la tradition. Il a vraiment été l'un des premiers dessinateurs « underground » de la B.D. française, une espèce de précurseur !

G. — C'est juste, Mandryka était en avance dans VAILLANT. Ce qui m'a fait un peu chier, dans les premiers numéros de L'ÉCHO, c'est que justement, dessinant avec mon style habituel, il n'y avait pas de cohésion entre la forme et le fond de mes histoires : l'esprit du dessin me convenait, mais je déplorais la technique elle-même, propre, sans bavure. Quand Crumb dessine des trucs à base de merde, on dirait qu'il est lui-même dans la merde et qu'il y trempe son pinceau ; c'est tout juste si son papier n'est pas dégueulasse ! La forme est chez lui complètement liée au fond, ce qui n'est pas le cas chez moi. Et puis je me suis dit que c'est un faux problème avec lequel il ne faut pas se casser le cul : ça viendra si ça doit venir !

70. Dessin de Jean Solé

71. *La punition de l'adulte*

S. — Est-ce que tu te poses la question de ton avenir ?

G. — Je me la pose constamment, et avec angoisse. Une angoisse un peu différente de mon angoisse d'avant, moins névrotique. Maintenant, je me dis quand même que j'ai réalisé quelque chose, et je me pose un peu moins de questions. Ça se traduit par des différences incroyables dans mon mode de vie même. Avant, par exemple, je travaillais douze heures par jour, en état d'angoisse perpétuelle. J'étais un des rares dessinateurs à n'avoir pas de retard, et même de l'avance ! Il y a encore trois ou quatre ans, c'était comme ça. Je n'arrivais jamais à me décontracter, je ne tenais pas en place, je me culpabilisais de passer un moment avec des copains, loin de mon boulot. Maintenant, ça s'est un peu arrangé, et paradoxalement, par le fait que je prends du retard et que ça ne me panique plus ! Avant, l'idée du retard était une chose effroyable. Et je me mets à être en retard quand il s'agit de livrer à mon propre canard ! A présent, enfin, je prends le temps de vivre un peu plus. Je me mets au boulot à la dernière minute, je glande une journée entière à ne rien foutre et parfois plusieurs journées entières...

S. — C'est par ton travail que tu as atténué ton angoisse, mais c'est aussi par lui que tu l'entretenais : une contradiction de plus... Ton travail te guérit jusqu'à un certain point. Reste à déterminer lequel, et s'il est bon d'aller trop loin.

G. — Ah ! ça se discute : pourquoi entretenir une angoisse qui t'empêche de vivre correctement, uniquement pour pouvoir faire de belles choses ? Je n'en vois pas la nécessité.

S. — Mais c'est tout récemment que tu as découvert ça ?

G. — Oui. Nous avons beaucoup parlé de cette notion d' « artiste » : l'artiste-qui-a-tant-souffert-mais-s'il-n'avait-pas-souffert-il-n'aurait-pas-fait-de-si-belles-choses-etc. Beethoven ! Van Gogh ! Moi, je pense qu'il vaut mieux vivre d'abord, quitte à faire de moins belles choses.

S. — Nous avons aussi longuement parlé de la notion d' « auteur ». Tu as une conception personnelle de l'auteur de B.D. : j'aimerais que tu la développes ici.

G. — Bon, mais c'est un avis personnel qui a germé dans ma petite tête et que je ne prétends pas ériger en « manifeste ». La bande dessinée est enfin reconnue comme un moyen d'expression à part entière, c'est-à-dire qu'elle permet à des auteurs de s'exprimer, les auteurs étant des gens qui ont autre chose à dire que les aventures traditionnelles de héros traditionnels (que je ne rejette pas, loin de là : ça a produit de bonnes choses, mais ça ne doit plus être le fondement du genre !). Dans cette mesure-là, des auteurs s'exprimant dans des journaux, je pense que le travail du dirigeant de ces journaux n'est plus le même qu'il était

72. *Le scoutisme et les choses de l'amour...*

avant, à l'époque où les petits Mickey étaient un délassement pour enfants. L'un des premiers, sinon le premier, à avoir promu cette notion de travail d'auteur est Goscinny. C'est tout à fait normal : il l'a d'abord fait pour lui et tout le monde en a profité. Ça n'a pas été sans mal d'ailleurs. Je pense par exemple qu'à une époque il a imposé dans PILOTE des gens comme Fred, Gébé ou Reiser, sur lesquels tout le monde criait haro, éditeur compris. Pour moi, en tout cas, dans PILOTE, il a été un véritable moteur, il m'a toujours encouragé à dire ce que j'avais envie de dire, à faire ce que j'avais envie de faire. C'est pourquoi je prétends que c'est lui, quoi qu'il en dise, qui a indirectement provoqué L'ECHO DES SAVANES ! Pour d'autres aussi, quand il estimait que c'étaient des gens qui avaient quelque chose de personnel à raconter, il lui venait rarement à l'idée de les barrer (sauf le cas mystérieux de Mandryka et ses « rochers qui poussent » !). A la grande époque des actualités, en 1969-1970, il faisait une absolue confiance à des mecs comme Gébé, Reiser, Cabu, moi, d'autres encore, qui pouvaient travailler dans leur propre système d'auteur tout en s'incluant dans le cadre des actualités. Et le journal n'avait qu'à s'en féliciter. Goscinny, donc, était le promoteur de cette notion par rapport à la presse dite « enfantine », alias « petits Mickey ». Et je trouve que, maintenant, un dirigeant de journal devrait généraliser ce principe, accorder la pleine confiance à ses auteurs, quand il en a. Imaginons, pour un nouveau venu, une période d'essai au terme de laquelle, si le dirigeant estime qu'il a affaire à un auteur complet, il n'a plus le droit d'intervenir dans la création de celui-ci et de lui refuser des trucs. Tout ça, bien entendu, dans la limite de la vocation du journal, que le type connaît au départ : il ne me viendra pas à l'esprit de dessiner dans PILOTE des bites comme dans L'ÉCHO ! Mais c'est tacite, ça. Et à partir de là, tout devrait être permis à l'auteur.

S. — C'est le principe de CHARLIE HEBDO, où chacun est responsable de sa page. Mais je ne sache pas qu'il est appliqué dans la presse de B.D. traditionnelle. PILOTE ou même TINTIN (belge) maintenant ne l'appliquent pas intégralement, je suppose.

G. — Bien entendu. A partir du moment où un type est reconnu comme un auteur respectable, on doit le respecter jusqu'au bout. On doit même lui accorder le droit à l'erreur, à la faiblesse : si c'est moins bon cette semaine, tant pis, merde ! On ne peut pas se défoncer perpétuellement. Il n'y a rien de plus effroyable que de vivre constamment avec l'idée qu'on est condamné à faire chaque fois « mieux » que la fois précédente. « Condamné », tu te rends compte !... Et j'en sais quelque chose étant donné que je me le suis dit pendant des années. Alors, lâchons un peu la vapeur de temps en temps, quoi ! C'est tout le problème de la surenchère dingue qui est caractéristique de notre époque, aussi bien dans le domaine de l'expression que dans celui de la lessive. On a trouvé une semaine une idée de planche décalcifiante, la semaine d'après, il faut trouver une idée plus forte : une planche au détartrant ! Après ça, une planche au cadeau Bonus ! Une planche aux rayures rouges ! Du nouveau ! Toujours du nouveau ! Parce que la concurrence, attention ! Et un beau jour, plus de nouveau : alors le type,

hop ! à la poubelle, comme une boîte de lessive périmée. Moi, je n'aime pas ça du tout, je ne suis pas un robot. Je préfère m'arrêter d'être un auteur avec un grand A et me recycler dans le poinçonnage des tickets de métro. Là au moins, tu n'es pas condamné à faire mieux chaque semaine... encore que, maintenant, avec le R.E.R., on ne sait jamais. Bref, pour en revenir au point de départ, un auteur devrait pouvoir s'exprimer à sa guise dans les pages qui lui sont confiées. Ces pages-là, elles n'appartiennent plus au dirigeant, même, dans la mesure où celui-ci pourrait les infléchir selon son optique. Le seul problème est que, s'il y a une couille quelconque, c'est sur le directeur que ça retombe. Mais après tout, il est directeur ! Dans CHARLIE HEBDO, les collaborateurs peuvent n'être pas d'accord entre eux ou avec le « patron ». Tu te souviens des controverses entre Cavanna et Fournier ? Je ne dis pas qu'ils avaient raison de s'engueuler semaine après semaine, parce qu'après tout les

73. « Œdipus censorex » : avant l'inceste...

lecteurs n'ont rien à foutre de leurs polémiques intra-muros (et encore, je n'en suis pas si sûr que ça, mais enfin, admettons !). Ce qui est important, c'est que le responsable d'un journal ait dans son équipe un auteur dont il ne partage pas les vues et le laisse malgré cela s'exprimer. De même, pour Goscinny, tel que je le connais, je ne suis pas sûr que la science-fiction le fasse spécialement bander. Ça ne l'empêche pas de laisser Druillet ou Mézières faire leurs trucs sans les emmerder. Je trouve que ça devrait toujours fonctionner selon ce principe.

S. — Alors, là, vous êtes en pleine science-fiction, mon cher !

G. — Tant qu'on n'en arrivera pas là, je crois, ce sera un frein à l'éclosion d'auteurs en puissance. Je suis persuadé qu'il y a beaucoup plus d'auteurs qu'on ne croit, ce n'est pas une race privilégiée : tout le monde a des choses à dire ! Remarque, il y a des progrès sensibles : les dessins comme ceux de Patrice Leconte, par exemple, c'était impensable de les passer, il y a une dizaine d'années. Il faut aller plus loin et mettre sur pied une véritable politique d'auteurs, comme pour la littérature ou le cinéma. Cela dit, encore une fois, c'est mon opinion, je la partage et je ne l'impose pas ! J'ai l'air ici de faire un plaidoyer en faveur de l' « auteur » au sens noble du terme, mais on peut élargir le propos et l'appliquer à l'échelle la plus haute qui soit, sur un plan, non plus professionnel, mais tout simplement humain. A ce moment-là, c'est davantage l'apologie de l' « individu », quel qu'il soit, que celle de l'auteur ou de l'artiste. Laisser un type s'exprimer au moyen d'un outil — plume, pinceau, musique ou autre — peut déboucher sur un principe plus vaste qui est de laisser chaque individu se réaliser, tout bonnement. On s'apercevrait alors, soit qu'il y a plus d'artistes qu'on ne le croit, soit que l' « art » n'existe pas du tout. On aurait l'air fin... Remarque, je me rends parfaitement compte de ce que ce raisonnement peut avoir d'utopique et d'idéaliste. Le type qui lirait ça le matin, dans le métro, à 6 heures, en route pour son usine, m'enverrait le bouquin à travers la gueule et ça me ferait mal ! Et en plus, il aurait raison, le type. C'est toujours facile de blablater et d'intellectualiser quand on cause dans un micro ou quand on a la possibilité de réfléchir parce qu'on n'a pas besoin d'aller à l'usine le lendemain matin à 6 heures... Alors, quoi faire ?... Bon, la révolution, les bombes, le sang... Et après, un nouveau truc pour remplacer l'ancien. Sauf que, dans ce nouveau truc, les types seront LES MÊMES que dans l'ancien. Et qu'est-ce qui se passera, alors ? Eh ben, il se passera que, quelque temps après, le même gars qu'avant se retrouvera, à 6 heures du matin, dans le même train, en route vers la même usine ! Peut-être même qu'il se retrouvera en train de lire le même genre de bouquin et qu'il le balancera à la tête de l'auteur, et ça fera mal à ce dernier, et ça dure comme ça depuis pas mal de temps. Enfin, tu sais, moi, ce que j'en dis... De toute façon, je ne fais pas de politique, ça me donne de l'urticaire psychosomatique. C'est juste histoire de causer...

S. — Nous en resterons là. Provisoirement, du moins. Des quatre solutions qui me paraissent s'offrir à toi — le suicide, l'abandon, le changement ou le ronron — nous verrons avec le temps celle qui s'imposera. On n'aura pas à attendre longtemps, je parie. Alors, on se reverra pour un nouveau bilan. D'ici là, comme on dit dans les B.D., « à suivre »...

G. — Tu me fais chier avec tes quatre solutions ! Et puis d'abord, pourquoi tu m'emmerdes depuis huit jours avec ton micro et tes questions à la con ? Je veux pas qu'on fasse de bouquin sur moi, d'abord ! Je suis quand même pas encore à l'Académie française, non ?

S. — Ecoute, vieux, tu aurais pu y penser avant, quand on te l'a demandé !

G. — On m'a rien demandé : j'ai été piégé.

S. — Bon, d'accord. On ne fera pas ce bouquin sur toi.

G. — Quoi ? T'es pas bien, non ? Et pourquoi qu'on ne ferait pas un bouquin sur moi, d'abord ? On en a bien fait sur Montherlant et sur Victor Hugo, non ! Ça va pas, des fois ?

S. — (las) Ah ! la la, qu'est-ce qu'on se marre...

autonopsie de gotlib

Hamster Jovial et les petits loups

Il y a longtemps que le scoutisme intéresse Gotlib. En remontant à ses débuts dans VAILLANT, on trouve trois gags de « Nanar et Jujube » consacrés à cette institution [1]. Il y mettait en scène des petits « vaillants », équivalents communistes des scouts (en réalité, il avait d'abord dessiné des scouts, mais la rédaction lui a demandé d'en faire des vaillants). Plus tard, dans « Gai-Luron », on peut voir une histoire de quatre planches intitulée *La gaie colo de Gai-Luron* [2], présentant certaines caractéristiques du monde à venir de ROCK & FOLK : louveteaux turbulents, Gai-Luron chantant déjà « Flamme pure et légère monte vers le ciel étoilé... », hymne totalement inventé par l'auteur, il faut le préciser. Plus tard encore, cette fois dans PILOTE, la « R.A.B. » présida au bon fonctionnement de ce monde tel que « Hamster Jovial » va l'adopter : avec *Saint-Cucufa* [3] et *Secourisme* [4], Gotlib pénètre en profondeur dans l'âme du scoutisme et nous montre bien qu'elle n'a plus de secrets pour lui. Dans la première rubrique, un personnage appelé Hamster Jovial attire l'attention, mais ce n'est physiquement pas le nôtre. Dans la seconde rubrique, c'est Face de Raie Joviale qui se manifeste ; probablement un proche cousin du chef rock & folkien. A la faveur de ces deux histoires, Marcel ne manque pas d'évoquer finement quelques traits inhérents au mouvement scout : militarisme larvé, débilité régnante prônée comme une éthique, atmosphère trouble et sexualité équivoque, instincts réprimés ou transférés en une certaine quantité de préceptes et tabous sacrés. Tout ce qu'il y a d'ambigu ou de répressif dans le scoutisme y est très justement esquissé. Et l'esprit scout est déjà confronté à celui du pop puisque *Saint-Cucufa* est une parodie du film *Woodstock*, transposant un festival de musique en convention des youkaïdeurs... D'autres rubriques de PILOTE contribuent diversement à édifier l'univers d'Hamster Jovial : les trois louveteaux marrants sont peut-être ces mêmes gosses qui posaient des questions scabreuses au flic désemparé de *Disons-le tout net*, ou bien ces mêmes dissipés d'*Aller-retour*, écoutant bruyamment les belles histoires de granmanman Gotlieb ! Le plaisant hiatus entre contexte — le scoutisme —

1. No 1007 à 1009 (1964).
2. No 1205 (1968).
3. No 568 (1970) et album no 3.
4. No 583 (1971) et album no 4.

et thème central — la pop-music — est le point de départ de cette série : Hamster Jovial, hyperscout jusqu'à la moelle mais épris de « goude vibrécheunes », s'applique vainement à assimiler ce qu'il croit être l'esprit pop, alors qu'il en singe les épi-phénomènes. Au début, chaque gag était en rapport direct avec un événement précis — chanteur, disque, groupe, film — du pop, référence à laquelle le héros tâchait de s'identifier (ill. 67). Puis au sixième gag [1], Gotlib se détache de la référence, élargissant du même coup sa bande et son monde. Le pop en restera l'armature, la constante, mais plus exclusivement. Surtout, au travers de personnages aussi dissemblables que possible (vous en connaissez beaucoup, des louveteaux comme ces trois-là, vous ?), il continue de peindre le rapport adulte-enfant qui le préoccupe. Ici, plus de complication ni d'hésitation : l'enfant est roi, l'adulte est irresponsable ! Dans le gag sur le rock mystique [2], Hamster Jovial se couvre de ridicule en se découvrant le cule (excusez : c'était plus fort que moi !). Dans le concours de pipi-au-mur [3], il est vrai, il n'est pas le seul à connaître la honte puisque les deux gars partagent avec lui l'humiliation d'un jet anémique. Dans le gag du rêve brisé [4], il y a répression et violence d'Hamster Jovial sur les enfants. Dans la paraphrase de *Themroc-01* [5], celui-là est justement puni par ceux-ci, qui le bouffent comme un vulgaire flic (qu'il est en réalité). Enfin, dans le fameux gag de la Banque du Sperme [6], le « grand » est totalement tourné en dérision par l'exploit spermatique du « petit » qu'il est censé surpasser : David abat encore Goliath, mais la fronde a laissé place à une quéquette ! Evolution oblige...
Ce dernier exemple m'amène à parler du nouveau plan sur lequel Gotlib situe le rapport/affrontement de l'enfant et de l'adulte. Un plan très réaliste qui confronte la sexualité juvénile à celle des aînés, pour conclure à la toujours évidente défaite de ceux-ci. « Hamster Jovial », ne l'oublions pas, est la première série où Marcel se débarrasse de certains blocages, principalement le tabou du « sexe » institué par la « presse des jeunes ». C'est la première fois que ce dessinateur sensuel mais pudique ose représenter un bonhomme à poil, de face, à demi violé par trois gamins excités [7] ; la première fois qu'il se laisse aller à confier son goût pour le plaisir et tout ce qui s'y rattache. Le comportement génital d'Hamster Jovial est une faillite, alors que celui des louveteaux... pardon ! Il est bien suggéré par deux fois que le chef entretient des rapports avec une mignonne cheftaine, mais la première fois est malheureuse [8], et la seconde, dérisoire [9]. Plus intéressante est sa relation ambiguë — paternelle/amoureuse — avec la fillette de sa patrouille : dès le cinquième gag [10], il établit avec elle une espèce de pacte sexuel qui sera plusieurs fois rappelé par la suite, pas toujours à son avantage. En dehors de ça, le malheureux chef est surtout malhabile, malchanceux, persécuté, défa-

vorisé par la nature. Encore que le quatrième gag [1] laisse supposer que ses attributs virils ne manquent pas de ressort, puisque la seule vue de Tina Turner suffit à décupler leur allonge...
Du côté des enfants, ça va de soi, aucun problème. Dès le deuxième gag [2], ils se bécotent, se pelotent et se font du bien. Tandis que le petit brun se nettoie les narines et caresse en sous-main l'intimité de la fillette, celle-ci et le blondinet s'abouchent goulûment. Ensuite, l'ordonnance du trio se modifie : dès le troisième gag [3], et encore maintenant, c'est le blondinet qui reste solitaire, les deux autres formant un couple officiel. Seulement il est tacitement (et tactilement) admis que le troisième participe manuellement au bonheur de la demoiselle. Dans la double page couleurs consacrée à des pochettes de disques [4], je remarque celle qui parodie une couverture en trompe-l'œil des Pink Floyd : on y voit d'abord la fille et le petit brun copulant debout pendant que le blondinet se masturbe, et on peut y deviner à l'horizon le coït d'Hamster Jovial et de sa louveteaude. Pauvre blondinet ! Toujours tout seul ! Une fois pourtant, ça va bien pour lui : au cinquième gag — de facture semblable à celle du roman-photo de L'ÉCHO no 2 —, quand le chef séduit la môme, les deux gars se consolent sans peine mutuellement.

Echo-porno-scato des savanes

C'est évidemment avec L'ÉCHO DES SAVANES que commence la vraie pornographie, enrichie d'une scatologie de haut vol. Sans doute Gotlib les a-t-il toujours portées en lui, mais il refoulait ces tendances. C'est dans ROCK & FOLK et surtout dans L'ÉCHO, c'est-à-dire à partir de 1972, qu'il a fait péter le carcan, qu'il a osé libérer ses démons de merde et d'orgasmes. C'est à partir de là que s'est lézardé le fameux mur des *Trompettes de Jéricho*, abattu d'un bilboquet phallus-étron éclatant comme un credo. En 72, Gotlib avait sérieusement amorcé sa prise de conscience, aidée par une connaissance en profondeur de la psychanalyse. Avant cette époque se situe l'anecdote suivante : en novembre 1971 — on se connaissait à peine —, j'ai envoyé à Marcel mon bouquin *Mémoires d'Adam-François San Hurcelo Lumneri, pornographe*. Et voici un extrait de la lettre qu'il m'a adressée en retour : « /.../ C'est assez terrible. Je vous envie d'avoir eu la force psychique de faire à ce point exploser le bouchon. Je n'en suis pas encore là, et une petite voix grincheuse me murmure que c'est cuit pour moi, en ce qui concerne ce domaine. » C'était très net : découragement et pessimisme, certitude d'une limite, d'un échec. Quelques mois plus tard, il me montrait sa bande « sale » pour le numéro un d'un canard qu'il lançait avec Claire et Nikita : la « petite voix grincheuse » s'était donc déjà trompée ! Puis Marcel a rapidement progressé. Et la voix est une sacrée menteuse !
Premier numéro uniquement scatologique, deuxième numéro pornographique. En dehors du banal et réel

1. No 64 (mai 1972).
2. No 65 (juin 1972).
3. No 69 (octobre 1972) + **La discothèque d'Hamster Jovial,** no 72 (janvier 1973).
4. No 73 (février 1973).
5. No 75 (avril 1973). III. 71.
6. No 77 (juin 1973). III. 69.
7. No 61 (février 1972).
8. No 68 (septembre 1972).
9. No 70 (novembre 1972).
10. No 63 (avril 1972). III. 72.

1. No 62 (mars 1972).
2. No 60 (janvier 1972).
3. No 61 (février 1972).
4. No 72 (janvier 1973).

plaisir de dessiner des bites ou de proférer des insanités, cet acte marque le franchissement d'un Rubicon : chez Gotlib, c'est une manière de provocation totale, une opposition succédant à l'accession de l'auteur, avec la « R.A.B. », à la liberté de création. Tabous rompus, entraves molles, la voie de l'autonomie louvoie de la farce au cul. La scatologie a toujours amusé notre ami ; la pornographie l'excite et souvent l'enrichit. Ce n'est naturellement pas la fesse commercialo-minable qui l'intéressera. Pour sa délectation privée, l'obscénité créatrice le comble ; pour son expression personnelle, l'énormité cochonne lui convient. Car il y a porno et porno. Il ne faut pas confondre la littérature/iconographie à la papa — Pigalle et photos cochonnes, salles de garde et chansons de carabins — avec un moyen d'expression brut qui peut être une remise en question de la vie. La porno traditionnelle est foncièrement réactionnaire : petits vices cachés de sages bourgeois et moyens de pression occultes du pouvoir en

peut-être grâce à elle ?), comme c'est également le cas chez Crumb ou S. Clay Wilson : loin de détruire le potentiel brut du genre, ils le subliment par le grotesque ! Alors que la fesse réactionnaire pour noces et banquets réussit, elle, à tuer l'excitation qu'elle prétend susciter. C'est paradoxal mais c'est comme ça. La sexualité est une force, une manière d'exister, un moteur : elle est donc facilement dangereuse pour l'ordre établi, celui-ci l'ayant été, il y a deux mille ans, par l'impuissance et le refoulement judéo-chrétiens. Limiter l'effet de la pornographie, ce magnifique chant de vie, briser sa nature révolutionnaire, c'est naturellement le devoir de l'ordre établi. Mais un Crumb ou un Gotlib, avec leurs bites enflées, leurs éjaculations splashantes, leurs formidables copulations, mais un Wilson, avec ses monstrueux et sublimes orgasmes, ses jouissances sadiques, ils sont de dangereux ferments d'anarchie : non seulement ils n'amoindrissent pas, mais ils resacralisent le sexe !

74. « Proud Mary »

place (les bouquins de ce genre ne sont pas pourchassés dans les casernes, tandis que HARA KIRI ou L'ÉCHO...). A l'opposé, il y a tout un courant révolutionnaire, fondamentalement dynamique, qui se manifeste par une explosion sexualisée, un cataclysme sperme-sueur-sang, une mise en accusation de certaines institutions, une éthique, une métaphysique. Cette pornographie-là est subversive, dangereuse pour les fondations de la société. C'est la prose grave ou lyrique d'un Miller, d'un Selby ou même d'un Sade, c'est la torrentielle poésie d'un Genet, d'un Burroughs, d'un Bataille. C'est le déferlement ironico-éjaculatoire de l'underground sous toutes ses formes, faisant du cul une arme politique, un « fondement » social. En ce sens, Gotlib et sa dérision sexuelle se rattachent à ce courant destructeur/reconstructeur. C'est aussi par là, on peut l'affirmer, qu'en dépit du lieu commun selon lequel le rire désamorcerait l'excitation sexuelle, la caricature gotlibienne (ouaou !) ne désacralise nullement, mais sanctifie au contraire la pornographie, son impact, sa puissance. Gotlib préserve le contenu émotionnel de ses scènes scabreuses, en dépit de l'outrance (ou

A bâtons rompus sur le sexe

G. — La pornographie concernant la sexualité, et la sexualité faisant partie de la vie, il est normal d'y recourir. Dans les différents moyens d'expression, on utilise couramment le sommeil, les repas, etc. Pourquoi ne pas faire de même avec des morceaux de vie aussi importants que le caca, le pipi, le plaisir sexuel ? Comme ce n'est pas souvent utilisé, quand par hasard on le fait, ça prend un impact beaucoup plus grand, ça devient de la provocation, alors que c'est tout simplement une peinture plus authentique !

S. — Il faut dire aussi que tu aimes provoquer.

G. — Oui, ça fait partie de mon exhibitionnisme.

S. — Exhibitionnisme d'ailleurs relatif : tu n'irais pas montrer ton cul aux passants !

G. — Je n'en sais rien... Faut voir ! C'est une question d'humeur et de motivation. Je ne vois franchement pas l'intérêt d'aller montrer mon cul à ma voisine, de même que je ne vois pas l'intérêt, dans une page d'actualité sur le dollar flottant, de vouloir à tout prix caser la sexualité ! Tu comprends, il faut que ça vienne naturellement, que ce soit motivé par des raisons profondes. Dans mon cas, maintenant, c'est effectivement lié à tout un tas de motivations dont on a déjà parlé et d'autres, plus intimes, qu'il n'est pas indispensable de développer ici.

S. — Comment fais-tu la part entre pornographie et gauloiserie graveleuse ?

G. — Il n'y a rien qui me mette plus en rogne que ce qu'on pourrait appeler l'esprit « zozo » : « Alors, vieux, ça marche avec la petite ? Ah ! dis donc... Là, je crois que je suis sur un coup !... Alors, la nénette d'hier soir, tu te l'es envoyée, finalement ? etc. » J'ai peut-être l'esprit tordu mais, pour moi, toute connaissance nouvelle avec un individu du sexe opposé est toujours empreinte d'une certaine gravité. J'ai horreur des plaisanteries grivoises et de la main au cul pour faire rigoler les copains ! Le photo-roman de L'ÉCHO nº 2 était à la limite. Il était prévu de faire une suite où on faisait une farce à Claire : on installait une énorme quille rouge debout sur le banc, on bandait les yeux à Claire, on lui annonçait une surprise et on la faisait asseoir sur le banc. D'où : gag... Surtout qu'en plus elle devait, à ce moment-là, prendre un air extasié et dire : « Oh ! mais vous avez encore invité Gébé ! » A ma courte honte, je dois avouer que cette fine plaisanterie avait été trouvée par moi. Quand j'ai proposé le truc à Claire, elle n'était pas tellement chaude. Sur le moment, je me suis dit : « Ah ! la la, qu'est-ce qu'elle peut être bloquée, celle-là ! Fi ! Fi donc ! » Et puis, là encore, après coup, et toujours avec trois ou quatre métros de retard, j'ai pigé d'où venait cette réticence : non pas le blocage, mais le côté « main au cul ». Elle a eu raison de refuser ça. De même, j'ai horreur du style « Si tu baises pas, tu peux aller te faire foutre », cher aux grands séducteurs. Connaître une femme est enrichissant de toute façon. Si ça va jusqu'au bout, tant mieux, sinon, eh ben... tant mieux aussi ! Je ne sais pas si je suis normal, mais pour moi, un simple baiser peut être chargé d'un contenu émotionnel aussi grand que toute une folle nuit d'amour.

S. — Je suppose que tu as des tendances maso conscientes ?

G. — Evidemment. Dès l'instant où l'on recherche constamment l'amour des autres ou un père, c'est lié.

S. — Est-ce qu'il n'y a pas une part de jeu là-dedans ?

G. — Oui. Et puis, quand on quête l'amour, on accepte des gens qu'on aime un tas de sévices très subtils. C'est doublé d'une susceptibilité qu'on refoule : on ne dit rien, on accepte... Et bien sûr le côté maso attire les gens à tendance opposée.

S. — Est-ce qu'on peut interpréter dans ce sens le fait que, dessinant un couple qui s'embrasse ou fait l'amour, tu mets plus volontiers le type dessous que dessus ? Par exemple, dans *La coulpe* et *Œdipus censorex*...

G. — D'abord, il y a que, moi, j'aime être dessous ! Pour aller très loin dans les confidences, je ne passe pas ma vie à baiser dans cette position mais je m'arrange pour que ça ait lieu de temps en temps, et j'en éprouve un plaisir d'une qualité exceptionnelle !

S. — Cette position est le propre des « faibles », pas des surhommes convaincus de leur puissance.

G. — C'est ça. Orson Welles, je l'imagine toujours dessous, comme dans *Falstaff*, quand Jeanne Moreau se roule sur son ventre... C'est la faiblesse même, Welles, en dépit des apparences.

S. — Parmi tes personnages, qui serait dessous ? Charolles ? Il est trop con. Bougret aussi. Ils doivent faire ça « à la missionnaire » !

G. — Tout à fait ! Tu sais, mes personnages, ils sont tous aussi cons les uns que les autres. Ils ne sont pas à la fois faibles et sensibles, vulnérables et sensuels... Ah ! si, les gosses seraient en dessous !

Amour et narcissisme

Vulnérable, Gotlib l'est bien sûr toujours. On a vu plus haut qu'il se dessine dans ses histoires, soit en minable, soit en empereur. Dans L'ÉCHO ça continue ;

il est désormais omniprésent, mais toujours Janus, toujours double. Tantôt paumé, complexé et impuissant sexuel, tantôt démiurge fiévreux et viril, ces deux aspects cohabitant par exemple dans *La coulpe*. Son côté superbe et intouchable, il est aussitôt ridicule, dégonflé à chaque apparition. Peut-être est-ce pour ça qu'il recommence inlassablement, pour arriver à se parfaire ou pour se détruire complètement ? On en revient à Welles qui se montre toujours en géant, mais géant lamentable. *Citizen Kane* le définit entièrement, géniale investigation de soi-même en forme d'enquête. Gotlib dit à ce sujet : « La construction du film est en spirale. Quand je réfléchis, je dessine beaucoup d'escargots partant de l'extérieur pour aboutir au milieu. Ma signature officielle — celle des papiers et que je fais depuis au moins vingt ans — est d'ailleurs tout entière incluse dans une boucle. Et le scénario de *Kane* est un peu comme ça : on commence par présenter le personnage sous ses aspects les plus exté-

75. *Cosette et Valjean selon Gotlib*

rieurs, puis on entre petit à petit dans la spirale pour essayer de trouver à quoi correspond le mot " Rosebud " prononcé par Kane en mourant, jusqu'au centre, le truc ultime, l'explication du mot. Et là, personne ne la connaît, sauf le spectateur... » Depuis quelques années, Gotlib se dessine une spirale dirigée vers le centre de lui-même, peut-être vers un « Rosebud » qui lui est propre. Pour Welles-Kane, c'était le nom d'un traîneau de son enfance. Pour Marcel, à la lumière de ses fréquents flash-backs, qu'en est-il ? Son œuvre n'est-elle pas dans une large mesure la « recherche du temps perdu » ? Alors, son « Rosebud » à lui peut être une chèvre, un personnage dessiné ou une étoile de David, par exemple.

L'hyper-narcissisme de Gotlib trouve dans L'ÉCHO un terrain d'expansion particulièrement fertile. Sa mégalomanie y est dans le même temps flattée, satisfaite et assumée. C'est l'auto-psychothérapie, en quelque sorte, une médication mentale qui fait ses preuves. On a parlé de la volonté de Marcel de « sortir », de regarder le nombril des autres, de regarder les autres, fût-ce au travers de lui. Le regard prend chez lui toute sa richesse originale. Je pense à ce que dit quelque part Saint-Exupéry : « Aimer, ce n'est pas se regarder l'un l'autre, c'est regarder ensemble dans la même direction. » Affirmation réactionnaire en diable que Marcel retourne : « Aimer, dit-il, ce n'est pas regarder ensemble dans la même direction, c'est se regarder l'un l'autre. » Avec démonstration mathématique à l'appui [1]. L'amour vrai tient dans l'échange, perpétué dans le regard. Il me revient des bribes d'une interview d'Alan Watts, jadis parue dans PLEXUS. Le théoricien expliquait à peu près qu'il ne faut pas fermer les yeux pendant l'amour mais bien plutôt se contempler longuement, prolonger la volupté dans l'interpénétration des regards. Rien n'est plus merveilleux, disait-il en gros, que de se voir dans les yeux. Se voir aimer, se voir jouir, saisir la flamme du mutuel orgasme... L'acte d'amour est un acte à deux. Fermer les yeux, c'est se retrancher, fuir l'échange, garder son plaisir pour soi tout seul, en Suisse, en brute. Le type qui fume un joint peut s'isoler en ses rêves ; le couple qui fait l'amour se doit de « participer » totalement. C'est ce que Gotlib a bien compris et ce qu'il veut exprimer dans son texte, ajoutant à l'adresse de Saint-Exupéry qu'il est une vieille baderne : « Avec sa phrase, il me paraît résumer tout notre système de vie : Travail-Famille-Patrie, etc. Il supprime l'échange au profit du mariage, de la carrière, de l'avenir, retraite y compris ! Il détourne l'échange, le remplace par une notion quasi fasciste. Aimer, c'est se regarder l'un l'autre, pas penser à la retraite ! »

C'est un peu la même idée qu'il défend à la page 35 de La coulpe, quand il écrit : « Ma femme — ma femme à moi — mon — ma — mon — à moi — le mien /.../. J'aime quand tu me fais l'amour — Je ne te fais pas l'amour — Nous nous le faisons mutuellement. » Ce court texte est un véritable manifeste contre la phallocratie et le système qui en découle, le nôtre depuis des millénaires. De même que l'amour servirait à fonder une famille, à faire des enfants pour avoir une armée forte, à former une « cellule » sociale respectueuse des lois, de même, la femme devrait être l'élément passif de ce noyau, et l'homme, le responsable, l'agissant, le viril. Tout récemment, Marcel a compris l'absurdité de la situation. C'est le sens d'un texte comme Debout les morts [2], formidable réquisitoire contre l'HOMME phallocrate et fasciscant, sa bête virilité, ses principes moraux, sa rigidité d'idéologie : « /.../ Tu vas la baiser ! Tu vas lui planter ta bite dans le ventre ! Fais-lui voir un peu ! Prouve ta virilité ! Montre que tu es un HOMME ! Manque de pot, toi, tu n'es pas un HOMME... mais simplement un homme /.../ Tu ne prouves plus rien : tu donnes — Tu ne prends plus rien : tu reçois — Tu n'es plus seul : tu partages — Tu ne BAISES plus, tu fais l'amour — Tu es amour — Elle est amour — Vous êtes amour »... Cet HOMME-canon qu'il fustige, Gotlib le dénonce encore dans un gag de ROCK & FOLK où Hamster Jovial, travesti, prend son esprit M.L.F. et brûle son soutien-gorge en signe de protestation contre l'impérialisme mâle [3]. Cet HOMME, il est de la race des fermeurs d'yeux ou des regardeurs dans la même direction. Il ignore, le pauvret, que « se regarder l'un l'autre », c'est alors véritablement voir dans toutes les directions à la fois, car l'être humain s'enrichit de la contemplation de ses semblables. Sa liberté ne s'arrête pas bêtement « là où commence celle des autres », comme dit la règle, elle se nourrit au contraire de celle des autres. C'est ce que Bakounine démontre magnifiquement lorsqu'il dit : « La liberté des autres étend la tienne à l'infini. » Opinion que Gotlib ne cesse de partager et qui m'amène à esquisser maintenant un portrait politique de son œuvre, depuis la « R.A.B. » jusqu'à nos jours.

Les actualités de PILOTE (déclaration gotlibienne)

« Les pages d'actualité de PILOTE, c'était formidable au début, lorsque des gars comme Gébé, Cabu ou Reiser y collaboraient. Ils sont formés à cette sorte de travail, n'étant pas passés par la voie '' presse enfantine ''. Mais dès qu'ils se sont tirés, les actualités, ça n'était plus ça. En fait, dans PILOTE, je trouve que l'actualité est appréhendée '' par le petit bout de la lorgnette '', les thèmes qui y sont développés sont toujours un peu anodins. De deux choses l'une, alors : ou bien on aborde uniquement les problèmes anodins sous l'angle de la satire, en laissant de côté les sujets importants, ou bien on prend ces sujets importants de front, en s'en moquant, bien sûr, mais d'une façon qui ne laisse pas oublier qu'ils sont réellement importants. A mon avis, on a le droit de se moquer de tout ; le seul problème est dans la façon de le faire. Je sais bien qu'il y a des sujets tabous qui comportent un côté '' mode '', tels le M.L.F. ou la pollution. Mais ces sujets ont beau être '' mode '', il n'empêche qu'au départ ils sont tout de même assez graves. Peut-être même que le processus qui en fait des sujets '' mode '' n'est mis en place que pour désamorcer leur gravité. PILOTE a fait un numéro '' spécial M.L.F. '', une satire très marrante, ce n'est pas ce que je veux dire, mais qui tendait malgré tout à amoindrir un mouvement qui est assez important. De même pour le '' spécial Hitler '' : alors là, j'ai carrément fait une dépression ! Parler d'Hitler en '' faisant de l'esprit '' est pour moi inadmissible ! (peut-être parce que j'ai des raisons personnelles de lui en vouloir). Dans l'absolu, le sujet a été traité de façon telle que le Führer apparaissait sous un jour anodin. Or, on ne fait pas '' de l'esprit '' sur Hitler ; on l'écrase ! Par l'humour, si l'on veut, mais on l'écrabouille ! Ecoute, on a souvent déconné dans PILOTE sur Alice Sapritch (qui fut un moment la tête de Turc du journal). Eh bien, tu me croiras si tu veux, mais en lisant le '' spécial Hitler '' j'ai eu la nette impression qu'on avait naguère été mille fois plus méchant avec Alice Sapritch qu'avec lui ! C'est quand même un comble... Même chose pour les guerres. Le '' spécial Troisième Guerre mondiale '', on a l'impression que c'est traité par-dessous la jambe. A la limite, on a presque l'impression que ce numéro est nostalgique de la Deuxième Guerre mondiale ! Je frémis à l'idée que bientôt, il y aura un '' spécial libération sexuelle '', un '' spécial péril atomique '', un '' spécial F.H.A.R. '', un '' spécial scatologie-pornographie '', bref, des '' spéciaux '' de ce dont tout le monde parle ! Mais si tout le monde en parle, c'est peut-être que c'est important : on peut déconner avec tout ça sans retirer cette importance. C'est même ça, l'humour authentique. Je ne sais plus qui m'a dit un jour que le slogan de PILOTE devrait être : '' Le journal qui s'amuse à avoir le cul entre deux chaises ''. Toute réflexion faite, je crois bien que c'est moi qui me le suis dit. »

1. Pages « à lire dans tous les sens » de L'ECHO, n° 2 (3e trimestre 1972).
2. Pages « à regarder pour attraper un torticolis », de L'ECHO, n° 2.
3. N° 71 (décembre 1972).

76. Dessin de Patrice Leconte

Un engagement dans le désengagement

La prise de conscience de lui-même s'est accompagnée d'une certaine maturation politique. Oh ! pas grand-chose, en vérité : Gotlib n'a pas eu la révélation ! Politiquement, au sens pratique du mot, il se déclare toujours en dehors du coup. Aux yeux d'un gauchiste bon teint, il est loin d'être catholique, si je puis dire, vu qu'il verse dans la pornographie, genre fortement suspect pour les fanatiques à la graisse de Molotov. Sa révolution à lui, elle est voulue plus pure que celle des groupes et des partis. Plus individuelle. Dans un premier temps, il y a eu chez lui prise de conscience de la « marginalité » : arrivé au sommet de sa « carrière », il a remis beaucoup de choses en question, pour prendre une direction marginale plutôt contestataire. Il s'est lancé dans L'ÉCHO DES SAVANES comme sur une barricade. Lui-même était l'enjeu de cette révolution : il allait devenir un « pape » de la B.D. adolescente et il a tout flanqué par terre pour virer dans le souterrain. Remarquez, il peut devenir un autre pape. Seule l'étiquette changera...

Dans un second temps, il s'est posé des questions d'ordre humanitaire et politique. Il a compris que passer dans la clandestinité (relative) constituait une sorte de refus de l'institution, d'un certain profit, de l'oppression idéologique. Mais il est honnête et ne va pas plus loin, sachant que la vie doit épouser l'option politique sous peine d'hypocrisie : « Si par exemple je conçois un jour que le fait de gagner du fric est une entrave à l'existence, au moment où précisément j'en gagne, et si je ne mets pas tout de suite cette idée en pratique, ça deviendra de la politique de salon et ça ne m'intéresse pas ! » Il se défie des prôneurs de théories qui ne savent pas donner l'exemple. C'est ce qu'il dit dans La coulpe quand il oppose le manieur de concepts — courage, volonté, etc. — à son authenticité d'homme. Et il en tire une espèce de mauvaise conscience dont on se guérit difficilement. D'où, proportionnel accroissement du sentiment de culpabilité. Il sait bien que l'argent pourrit tout, que le profit est une entrave à l'épanouissement de la vie. Il le sait sans en avoir l'absolue certitude et il n'ira pas le proclamer dans des bandes qui lui rapportent des sous ! Crumb peut faire paraître dans la « free press » des bandes incendiaires parce qu'elles ne lui rapportent rien ; Gotlib ne le peut pas. Et d'autre part, il ne peut se résoudre à adopter l'attitude désabusée de celui qui dit : « Le fric, c'est de la merde. Mais on est dans une société qui repose sur le fric. Donc, faisons du fric ! » Faire du

77. « *La coulpe* » :
humour grinçant
et histoire juive

fric tout en se disant que la société est opprimante, Marcel, rien que d'y songer, a le vertige...

La seule attitude politiquement consciente de cet homme exigeant vis-à-vis de lui-même est l'individualisme. Le miracle qu'il souhaite est celui-ci : que chacun prenne brusquement conscience de son unicité et se mettre à vivre d'abord pour lui, il n'y aurait alors plus de problème. Pure utopie dans la ligne de *L'an 01,* fondée sur une réflexion collective par génération spontanée. Après tout, pourquoi pas ? Pourquoi ne pas croire suffisamment aux utopies pour les faire se réaliser ? Ce sont bien les grands rêves humains qui ont façonné le monde, non ? Alors ? A l'heure actuelle, Gotlib ne s'engagerait pas, je veux dire qu'il n'épouserait pas une idéologie précise, il ne militerait pas. Son seul acte de militant est de s'affirmer individualiste ; son engagement réside dans le refus de s'engager (à ne pas confondre avec la peur ou l'incapacité de s'engager). Son « irresponsabilité » est son mot d'ordre. Ce n'est pas une blague : la plus satisfaisante attitude politique est de refuser l'enrôlement pour un dogme, un postulat, un bourrage de crâne. L'anarchie est sans conteste la démarche la plus honnête, la plus pure ; c'est donc celle qui possède le plus de chances de réussite à long terme. Même s'il ne veut pas l'admettre, le « désengagement actif » de Gotlib, son « non-alignement » est une façon de rejoindre les idées de l'anarchie : l'individualisme est pour lui une règle de conduite collective, pensée, son humanisme est sans compromis, sans limite, sa détermination de la liberté et de la justice ne veut transiger avec aucune théorie, aucune récupération idéologique. Ni dieu, ni maître. Ni ordre, ni obéissance. Ni mensonge, ni particularisme. Marcel sourit quand je prétends le convaincre : « Peut-être bien que je suis engagé dans le désengagement. Mais je ne suis sûr de rien. Qui te dit que ce n'est pas tout simplement la crainte de perdre mon semblant de tranquillité ? Qui te dit que je n'ai pas la frousse de prendre parti, de m'engager ? Cette vieille peur des responsabilités, c'est peut-être elle qui me guide... »

Je connais peu d'individus aussi sincères avec eux-mêmes, aussi lucides et scrupuleux que l'est Gotlib. Ses bandes ne sont pas des manifestes, ni des pavés, ni des propositions pour une société nouvelle : elles disent tout bonnement son doute, et ce n'est pas si facile d'en arriver là, vous savez ! Dans la « R.A.B. », il y avait des épisodes plus « politisés » que les autres, c'est-à-dire faisant référence à des événements extérieurs au nombril de l'auteur. Ces rubriques ne sont pas des slogans, des messages pratiques. Ce sont des constats, évidemment orientés dans le sens le plus humanitaire, égalitaire, libertaire, fraternitaire, et j'en passe (c'est à dessein que je n'écris pas « révolutionnaire » ou « à gauche » : Gotlib n'en est pas encore là !). C'est le cas du petit Biafrogalistanais de *Désamorçage* vendu à l'encan comme une lessive et oublié aussi vite, ou des acteurs « absurbes » du procès des autonomistes basques à Burgos. C'est aussi le propos du *Réjimant de papa,* pessimiste découverte de l'univers flico-militaire, ou de *Manuscrit pour les générations futures* [1], testament d'une civilisation étonnamment présenté, constat de fin du monde qui fait songer au *Satyricon* de Fellini, peinture désabusée d'une désagrégation. Dans les « pages à lire dans tous les sens » de L'ÉCHO n°2, Gotlib écrit : « Un homme politique et un idéaliste se différencient principalement par le fait qu'ils sont aussi cons l'un que l'autre. » Et il ajoute entre parenthèses : « Heureusement, en ce qui me concerne personnellement, je serais plutôt idéaliste. » Toujours le doute, le refus d'un problématique enrôlement. Dans L'ÉCHO n° 4, il se trouve un autre aphorisme significatif : « La déclaration la plus définitivement politique qui soit est la suivante : « Moi, je ne fais pas de politique. » (De toute façon j'en ai rien à foutre, je dis ça histoire de causer parce que j'en fais pas de politique moi, alors.) »

L'ÉCHO : une progression mathématique

Petite étude chronologique des quatre premiers numéros de L'ÉCHO DES SAVANES, témoignant de l'évolution de Gotlib au même titre que les couvertures des albums « R.A.B. » dont j'ai parlé plus haut. Quatre

1. N° 473 (1968) et album n° 1.

78.

LES TROMPETTES DE JERICHO

niveaux d'une courbe ascendante où il se prend de l'extérieur vers l'intérieur, tel le colimaçon de *Citizen Kane.* Dans le premier, expression scatologique encore impersonnelle et surtout destruction de la « marque de fabrique » de l'auteur. Dans le deuxième, dépassement des thèmes de l'enfance chers à celui-ci et, dans le troisième, des thèmes inventés par lui (il fait progressivement le vide pour repartir à zéro). Une fois que son monde est épuré, il se retrouve seul avec son problème, au quatrième, et se reconstitue une personnalité.

L'ÉCHO n° 1 : *La rétention lumineuse, Le joli matin tout plein de lumière* et l'extra-terrestre aux hémorroïdes restent au niveau du défoulement ordurier et puéril. Le coït brocolien du minestrone joyeux ne va pas non plus très loin dans la catharsis d'un monde intérieur. A ce numéro extrêmement brillant et drôle, Gotlib fait un bond très courageux : il met un terme à son « honorabilité », à sa « carrière ». Il prend le maquis. Cette timide scatologie est donc importante : l'étron du bilboquet vient de faire tomber un pan de mur. Par la brèche ainsi faite, s'engouffre un vent nouveau de liberté et d'enthousiasme.

L'ÉCHO n° 2 : Ici se situent les *Trompettes de Jéricho* et leur encourageante symbolique. Plus deux planches où Gotlib se défoule verbalement et s'emploie à élargir la brèche du premier numéro : ce bonhomme qui égrène les pires grossièretés en se grisant de sa propre logorrhée, il est le truchement d'un auteur désireux d'abolir les tabous, la pudeur. Dans ce numéro, surtout, éclatent les onze planches de *Au p'tit bois-p'tit bois charmant quand on y va on est à l'aise* — titre d'une vraie chanson enfantine — que j'appelle *Le Bois Huon* pour plus de commodité. Là-dedans, Gotlib entreprend une cure de maturation en critiquant les thèmes qu'il n'a pas créés mais qu'il a longtemps utilisés, notamment les grands sujets des contes de fées : le Petit Poucet, le Petit Chaperon rouge, la Chèvre de M. Seguin, Blanche-Neige et les sept Nains sont ainsi retrouvés, mais en quel état ! Egalement revenu vers nous, Tarzan, « mon être cher », comme dit l'auteur. Et puis on voit enfin, mais démythifiés, Cosette et Jean Valjean dans l'épisode du seau qui a tant impressionné le petit Marcel. Tournées en dérision, ces figures le sont, mais avec un arrière-plan de tendresse : Gotlib se moque de choses qu'il aime et qui l'ont formé. Dans le contexte d'une tentative d'accéder à son autonomie, il devait en premier lieu rompre avec les bribes d'enfance accrochées à ses basques, donc les démolir. Si l'on y regarde bien, cette histoire est d'ailleurs bâtie en exorcisme de l'enfance, à travers la trahison du personnage vis-à-vis de ses rêves de gosse. Ayant fréquenté le Bois Huon quand il était petit, il se renie en le vendant aux requins-promoteurs. Pour Marcel, cela signifie pas mal de choses : du temps où il allait garder sa chèvre, c'était souvent dans des petits bois de ce genre, « de chouettes petits bois de bouleaux, fabuleux, où j'étais tout seul pour me raconter des histoires » ! Le quadragénaire trahit donc ce merveilleux passé, et le petit garçon qu'il fut vient lui cracher sa détresse au visage... Mais c'est plus compliqué que ça : sous le crayon de Gotlib, l'affaire est très ambiguë. Rompre avec l'enfance signifiant alors pour lui devenir adulte, et adulte au sens noble du mot, le môme devrait logiquement féliciter, remercier son double enfin guéri

104

de l'immaturité ! Il y a donc, selon Gotlib, deux manières d'accéder à l'état adulte : la mauvaise, celle de la cravate et des principes, celle du renoncement complet, et la bonne, celle qui rejoint au bout du compte l'enfance perdue, celle qui boucle la boucle à la lumière de l'expérience vécue. Comme dit Brel, « être vieux sans être adulte » : mots différents, idée similaire.

Donc, contradiction. Dans *Le Bois Huon,* il y a prise de conscience de l'autonomie et en même temps le gosse vient tout foutre par terre en affirmant qu'il faut rester enfant. Le syndrome de Jekyll-Hyde est diversement incarné pour déterminer la personnalité fluctuante de Gotlib. A noter un détail intéressant : dans cette histoire, chacun réalise son rêve et ses fantasmes sexuels, à commencer par le maire qui va au bout d'une légende commencée quarante ans plus tôt, jusqu'aux créatures de cette légende, elles aussi comblées dans leurs désirs. Petit Poucet et ses frères se masturbent comme n'importe quels enfants de la réalité ; Chaperon rouge connaît enfin l'initiation au plaisir par ce loup dont la mythologie populaire a fait un synonyme du satyre ; le père Seguin goûte avec Blanchette aux voluptés de la zoophilie, tel un berger solitaire ; Blanche-Neige et les Nains s'adonnent à des jeux éminemment plus crédibles que ceux du conte...

L'ÉCHO n° 3 : Quinze planches extraordinaires, d'une incroyable richesse thématique et graphique. Voici *La coulpe,* nouveau degré dans l'escalade. Gotlib s'en prend maintenant à ses propres créatures — Gai-Luron, Newton, la coccinelle —, à son moyen d'expression — intervention de la Cellulite de Bretécher — et à lui-même — artiste génial, paumé, jeune homme, etc. On peut donc concevoir cette bande comme une « super-Rubrique à brac ». Si Bougret est absent de la fête, c'est délibérément. Il était au départ le curé-flic qui officie en ôtant le cœur des mariés, mais la ressem-

blance du personnage avec Gébé risquait de prêter à quiproquo. D'où, suppression de Bougret. Ces planches sont un véritable déballage, une sorte de cure psychanalytique (il y est fait allusion à cette pratique), un miroir multi-directionnel. Tout Gotlib est ici reflété, aussi bien professionnel qu'intime. Sa position par rapport à L'ÉCHO est même parodiée puisqu'on voit un type lire le journal dans le journal, la page qu'il regarde étant celle précisément que l'on regarde aussi ! « C'est vachement libéré », éructe le type avant de dégueuler ses tripes. Autre figure gotlibienne (hum !) ici reprise : celle du père, entité suprême qui mène l'histoire. A noter que ce Dieu, ce « surmoi » n'est pas circoncis (au fait, je ne sais même pas si Marcel l'est !). Le surmoi n'est pas circoncis. Quel beau titre ça ferait pour un traité psychanalytique de Gotlib ! Ou pour un roman policier ? Père toujours présent mais jamais accessible, ce Dieu est la force négative qui empêche l'être de devenir lui-même. Alors, cette *Coulpe* est une succession d'affrontements, de duels entre deux tendances irréconciliables : l'entité et le libre arbitre du personnage (surmoi et moi), Gotlib-brillant et Gotlib-minable (comme toujours), Gotlib-avant et Gotlib-après la prise de conscience (celui d'avant surgit de la planche déchirée), la théorie et la pratique (notions de courage et de volonté), l'angoisse et la libération (angoisse coïncidant avec les personnages de la « R.A.B. », entre autres), la nuit et la lumière (cette dernière ressentie comme une brûlure), etc. Le héros traverse une série d'épreuves qui annoncent la quête du censeur au numéro suivant de L'ÉCHO : au terme de cette marche initiatique, il n'y a rien encore, il n'est que le néant, le repliement sur soi-même. Gotlib n'est pas arrivé à « sortir » ou à se rencontrer sur la voie de la sérénité. Histoire à rapprocher de *Huit et demi,* où le génial Fellini traduit ses obsessions de créateur, ses affres de création, les monstres qui sont ses créatures. La démarche de Gotlib, la morale de sa

79. *L'homme aux « deux bistouquettes »*

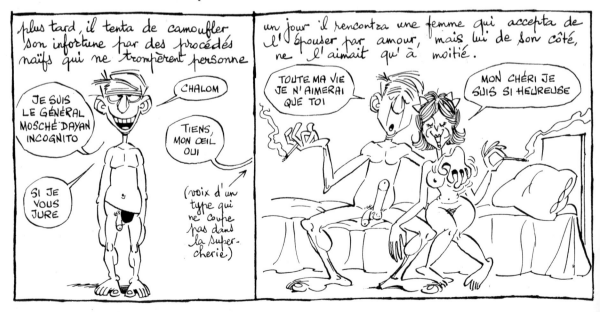

ET MAINTENANT, UNE PAGE DE PUBLICITÉ...

80.

fable en sont ici voisines. Quoi qu'il en soit, dans l'un comme l'autre cas, l'exorcisme a pourtant réussi : ni Fellini, ni Gotlib n'ont par la suite déballé de la sorte leurs angoisses créatives et leurs créatures se sont évanouies, du moins sous la forme qu'elles avaient jusqu'alors.

L'ÉCHO n° 4 : Dernier stade de l'ascension, culmination d'une recherche de soi, *Œdipus censorex* (quel beau titre !) est l'ultime geste pour chasser les démons intérieurs, délivrer la personnalité, trouer la peau à l'image du père. Le héros de cette histoire, ce n'est pas seulement Gotlib c'est Gotlib identifié au « surmoi » de la précédente, l'un et l'autre confondus en la phase libératoire du destin de Marcel Gotlieb. D'ailleurs, ce censeur, il a le visage aigu et dur du surmoi de *La coulpe*. Il ressemble aussi, bien entendu, à Jean Royer, maire anastasique de Tours et parangon de l'esprit de censure, et j'ai même retrouvé ses traits dans la « R.A.B. » : le flic de *Disons-le tout net* et le publicitaire de *Technocratie* sont des jumeaux de notre auguste touche-ciseaux. Vous vous souvenez de ma comparaison entre certains bonshommes rubriqua-braciens et Giscard d'Estaing ? Voici donc posés les deux pôles du faux « adulte » selon Gotlib : le technocrate giscardien ou l'oppresseur à la Royer ! Je viens de dire que ce censeur confondait Gotlib et son surmoi : il est surmoi parce que censeur (et vice versa), il est Gotlib lorsqu'il devient Œdipe. Voilà tout.

Le personnage en quête de ses attributs virils — les ciseaux, représentant une sorte d'autonomie — doit franchir quatre étapes initiatiques sous le regard d'un nouveau surmoi (surmois à tiroir...) qui a pris la forme d'un clown-sphinx. Ces étapes sont : franchissement d'un lac de merde, onanisme, inceste et parricide. Suivant la traditionnelle gradation de la sexualité — stade anal, stade masturbatoire, stade œdipien, stade conflictuel —, Gotlib crée une échelle thématique reflétant ses préoccupations : le lac de merde et la séance branlatoire attestent son sens de la scatologie et de la provocation pornographique, sens qui lui a permis d'affirmer sa personnalité d'adulte. D'ailleurs, pour débuter l'initiation, le censeur doit-il pas enfoncer la porte des chiottes « condamnées » ? Ce n'est sûrement pas par hasard que le terme fut choisi. Une fois ces deux étapes encore mineures franchies, le personnage connaît les véritables épreuves qui le séparent de ses ciseaux. La mère est là qui l'attend, douce et maternelle, l'invite tendrement à faire l'amour avec elle. « Freudisme de pacotille », peut-être, mais cet acte figure dans l'œuvre au même titre que le suivant : le meurtre du père. Ici encore, ambiance détendue, tendre, chaleureuse. Le père (moustachu) demande gentiment à son fils de le tuer, ajoutant aussitôt avec bonhomie que, l'image paternelle détruite, l'homme demeurera. Petit jeu : retirez-lui sa moustache, ajoutez-lui des cheveux noirs et frisés, rajeunissez-le d'un certain nombre d'années, et vous aurez le portrait de Goscinny tel que Gotlib le dessine dans Bougret-Charolles ! Cette scène, admirable autant que la précédente, clôt la série d'épreuves. Mais il manque à l'histoire la conclusion du mythe œdipien : parvenu au bout de sa quête, le héros hésite un instant mais ne se crève pas les yeux avec les ciseaux retrouvés. Dénouement inattendu, capital. Il éclaire la bande sous un jour plutôt subversif : si le censeur s'était crevé les yeux, il aurait renouvelé le vieux geste d'Œdipe et se serait puni d'avoir commis deux crimes affreux. Or, au lieu de crime, il a eu conscience de libération, d'acte naturel, il se pose en exemple de ce qu'il faut faire pour oser devenir autonome.

L'utopie de l'histoire réside dans l'attitude des parents face à l'épreuve : la mère demande l'inceste, le père réclame le meurtre, le fils s'exécute. Des parents comme ceux-là, je suppose que ça n'existe pas ! Sauf chez Bob Crumb, dans une très belle histoire où, chacun de son côté, papa et maman initient respectivement leur fille et leur fils au plaisir et à l'amour, puis ils les regardent s'éloigner enlacés et se disent que leurs enfants seront heureux... L'être double — enfant/adulte — qui vivait dans *Le Bois Huon*, on le retrouve un peu dans le *Censorex* : à l'origine, ce n'était pas le sphinx qui devait remettre les ciseaux au censeur, mais une réplique de celui-ci, son reflet lui enjoignant de se crever les yeux. C'est également la même paire qui joue dans *La coulpe*, à la fin, quand Gotlib et Gotlieb se rencontrent et ne se comprennent pas... Le censeur termine méconnaissable, vêtement et physionomie dégradés. Il y a également transformation dans l'esprit même du dessin : au début caricatural, le physique du personnage devient plus réaliste, plus grave. Plus humain, donc presque beau. Et sa psychologie est transformée de même : à partir du moment où il ne s'est pas crevé les yeux, donc où il assume son autonomie, la « mission sacrée » du censeur ne veut plus rien dire. Et les images finales peuvent se comprendre comme une salvation, un espoir.

S. — As-tu fait de ton personnage un censeur pour donner plus de relief à sa quête de l'autonomie ?

G. — Sûrement. Etre censeur, avoir choisi ce boulot, faut vraiment le faire ! Un censeur ne peut pas être autre chose qu'un « demeuré mental », avec un tas de refoulements, de tabous aberrants. La réaction de violence face à la scatologie, à la pornographie, à une foule de choses qui sont pourtant naturelles, merde ! est quand même caractéristique d'un état d'esprit. Pourquoi est-ce que ça déclenche autant d'hostilité alors qu'un film sur la guerre est accepté, n'est pas interdit aux enfants ?

S. — Au contraire, même : on estime que c'est un « bon exemple » ! Mais là, mon vieux, tu poses le problème de deux millénaires de complexes, d'aigreur et de tabous judéo-chrétiens : on n'est pas encore près de voir effacée cette souillure du genre humain ! Quand tu dessinais ton censeur, pensais-tu plus ou moins à Goscinny ?

G. — Goscinny ne supporte évidemment pas la scatologie et la pornographie, mais il est quand même assez large d'esprit. En réalité, je ne veux pas nier qu'il est présent dans ma pensée à chaque numéro de L'ÉCHO.

S. — Est-ce que le censeur réunit à tes yeux tous les blocages qu'un esprit peut contenir ?

G. — Exactement, il réunit tout à la fois : c'est le comble, le sommet ! J'aimerais savoir comment quelqu'un peut se reconnaître en tant que censeur sans faire de la dépression ? Comment un censeur peut-il se regarder dans une glace sans songer au suicide ? Tu comprends, juger les autres, c'est déjà tellement énorme. Alors, agir sur eux, les condamner, les punir... Un juge n'est pas forcément un censeur, mais le censeur est à tous les coups un juge. Il considère le public comme une masse d'enfants irresponsables, et les créateurs comme des coupables, des monstres, des rebuts. Il décide pour les gens de ce qui leur conviendra. C'est encore une instance suprême, un surmoi inadmissible !

S. — Dans le titre de l'histoire, il y a un crucifix fait de deux paires de ciseaux croisées, et le personnage présente à ses paumes les stigmates du Christ : quel rapport entre le censeur et Jésus ?

G. — Dans mon idée, un censeur est tellement con qu'il serait capable de censurer même la bite à Jésus [1]. Si tu mélanges d'une façon freudienne les « idées » de sexe et de ciseaux, tu arrives à la notion de castration, liée au fait que c'est dans et par le christianisme que le « péché de chair » s'est fait jour. Et le censeur coupe le zizi du Christ. Et puis aussi, le Christ étant juif, ciseaux peut signifier circoncision. Je te jure qu'en ce moment, j'improvise complètement selon le principe des « associations libres » de la psychanalyse ! Je me suis amusé à ça pour un gag de *La coulpe,* où un type a une bite à la place de la main, et vice versa. Or, c'est plein de signification : il arrive que des « puis-

1. C'est ce qui se passe en réalité : scandale dans l'Eglise de France quand HARA KIRI montre les fesses de Jésus, scandale dans la chrétienté mondiale (avec répression officielle de la part de certains gouvernements), lorsqu'un cinéaste veut tourner un film sur « la vie sexuelle de Jésus ». Une fois pour toutes, le Christ n'a pas de sexe (ni de fesses), qu'on se le dise !

82. « La coulpe » : le pétomane et le surmoi...

sants » s'abaissent à te serrer la main, en te faisant toujours comprendre qu'ils te restent supérieurs. Et qui dit puissance dit phallus. Pour les stigmates sur les paumes du censeur, c'est parce qu'il agit au nom de la morale judéo-chrétienne, donc, au nom du Christ, donc, il s'identifie à celui-ci au point d'en avoir les stigmates. A ce moment-là, rire dans l'assistance, parce que : gag !

Pour en finir avec L'ÉCHO, remarquons ceci : la lecture de *La Coulpe* et du *Censorex* peut s'effectuer à deux niveaux complémentaires. En premier lieu, ces histoires pastichent en toute conscience une série d'interdits, de tabous en apparence assumés (par exemple, ne pas faire l'amour avant le mariage, dans *La coulpe*) et une démarche psychanalytique extrêmement grossie *(Œdipus)*. Cependant, au-delà de la parodie — qui devient de l'auto-parodie —, au-delà du jeu, c'est son

fidèle portrait que brosse Gotlib à grands coups nerveux. Chacun a donc le loisir d'y trouver ce qu'il désire ou ce qu'il peut... Avec le quatrième ÉCHO, un abcès est crevé. J'ai parlé des voies qui s'offrent à notre héros, ses espérances, les progrès accomplis. Les choses vont maintenant évoluer rapidement. Le présent livre y contribuera de manière non négligeable. Et nous aurons la chance d'être les spectateurs éblouis de cette mutation. Gotlib ne se flinguera pas encore maintenant, j'en suis convaincu. Il ne le peut pas. Et il sait très bien pourquoi : c'est que, contrairement au duc de Guise, il serait plus grand vivant que mort.

Envolée finale

Les démarches respectives des savaneux sont expliquées par Marcel dans l'éditorial du numéro 4. Pour lui-même, il écrit non sans clairvoyance : « Les pas sont d'inégale longueur comme si l'évolution avait perpétuellement lieu sur terrain rocailleux /.../ Quand il renifle l'odeur d'un chèque, il se met à courir comme un dératé, la jambe gauche dans la direction du chèque, la jambe droite dans la direction opposée. On perçoit alors un craquement : c'est le pantalon qui cède. » Il n'y a pas si longtemps, au sujet d'une enquête sur la presse, un reporter d'Europe 1 lui a téléphoné, concluant l'entretien par cette question : « Pourquoi L'ÉCHO DES SAVANES ? » Au téléphone, comme ça, sans prévenir, paf ! Et Gotlib de répondre : « Eh bien, comme Lazareff est mort récemment, il y avait une place à prendre. »

S. — Tu as travaillé dans la presse communiste, dans la presse religieuse, dans la presse bourgeoise, dans la presse underground... Tu bouffes à tous les râteliers. Une dernière question m'obsède, peut-être la plus importante de tout le livre : travailles-tu à la plume ou au pinceau ?

G. — Grave problème en effet, et qui demande réflexion... Il faut noter que j'ai une grande propension à la plume : j'utilise des plumes très spéciales, les Gillott référence 290, que je fais venir à grands frais d'Angleterre, par l'intermédiaire des établissements Lavrut, que je paie cinq centimes pièce, et que je fais durer le plus longtemps possible. Toutefois, et pour en revenir plus précisément à ta pertinente question, il n'empêche que j'utilise malgré tout, pour faire mes lettres, une plume Mallat référence 132 (ce que beaucoup de gens ignorent !). On pourrait donc alors en conclure un peu hâtivement que je travaille à la plume... Erreur ! Et c'est là que je crie : ATTENTION !... Quand il y a, sur mon papier, une grande surface à remplir de noir, que fais-je ?... Je te pose la question : que fais-je ? Hein ?... Oui ! Je ne te le fais pas dire ! N'ayons pas peur des mots : je prends un pinceau !... Donc, à ta question décisive, je réponds : les deux !

S. — Ouf, j'en suis si heureux... Imagine que si tu avais été un travailleur manuel je t'aurais posé la question : « Est-ce que tu travailles à la pince ou au plumeau ? »

G. — Ce sera le mot de la fin.

ARRÊT SUR IMAGE, le 30 septembre 1973

83. Newton dans « La coulpe »

en complément de programme
(et pour le même prix):
3 nouvelles inédites de gotlib

84. « La coulpe »

la terre est un cygne

On a tout dit sur la forme de la Terre. A un moment donné, il y a pas mal de temps de ça, on la croyait plate comme une crêpe. On l'a crue creuse. (Supposition ridicule, ne serait-ce que parce qu'elle nécessite l'emploi de l'expression « crue creuse ».) Je crois aussi que les Chinois disaient que c'était une tortue ou je ne sais quel animal. Les hindous la placent dans le nombril de Bouddha, les anciens Grecs sur les épaules d'Atlas. Enfin bref, n'importe quoi. Jusqu'à Galilée qui l'a imaginée en forme de boule et tournant autour du Soleil. Vous trouvez pas qu'il est quand même temps de mettre un peu d'ordre dans tout ça, non ? Heureusement qu'il y a des types sensés comme moi pour ramener les choses à leurs justes proportions.

Parce qu'enfin, bon sang, il suffit de savoir ouvrir les yeux, quoi. Il suffit de faire fonctionner un peu sa matière grise. Pas la peine d'aller chercher si loin, crêpe, tortue, nombril, boule ou autre baliverne, non, je vous jure. La Terre. Qu'est-ce que c'est la Terre, hein ? Tas de rigolos que vous êtes, qu'est-ce que c'est ? C'est un cygne, tiens. Ben alors. C'est pas plus bête que ça. Un cygne, rien de plus.

Ah, évidemment, un grand cygne. D'abord, pour que personne ne s'en soit aperçu plus tôt, il faut qu'il soit grand. Forcément, manque de recul. Faut dire que moi, j'ai une vue spéciale. Une vue « grand angulaire ». C'est-à-dire que je vois les choses plus loin qu'elles ne le sont réellement. C'est embêtant dans certains cas, comme la fois où ma fiancée et moi étions assis... (j'espère que je ne vous retarde pas trop)... ma fiancée et moi étions assis sur un banc dans un square et elle me disait : « Comme j'aime la couleur lapis-lazuli teintée de paillettes mordorées à reflets émeraude de l'iris de tes yeux. » Et je lui ai répondu : « Approche-toi donc au lieu de rester plantée là-bas à cinquante mètres. » Mais ceci n'est qu'une parenthèse pour causer de ce qui est ma vue « grand angulaire ». Laquelle m'a permis de me rendre compte depuis longtemps que la Terre était un cygne.

Un cygne. La majesté d'un cygne. La grâce d'un cygne. L'élégance d'un cygne. Les plumes du dos comme la neige, froides au-dessus, brûlantes en dedans. Le duvet du ventre, délicat comme la gelée blanche nappant une prairie et craquant sous les pas. Le bec, jaune orangé comme les feuilles d'une forêt de Sologne en automne. Les yeux petits, brillants et noirs comme le coquelicot d'avril. Les pattes, brunes comme le ciel de Provence, comme la mer infinie. Et cessez de m'ennuyer pour des questions de couleurs, la poésie a droit à des licences, on nous a assez cassé les pieds avec ça au sujet de Racine et de Corneille.

Oui, croyez-moi, la Terre est un cygne. Et d'abord, vous avez déjà senti un cygne ? Ça sent l'iode, le lilas, l'herbe coupée, l'Amsterdamer. Un cygne, ça sent tout ce qui sent bon. Exactement comme la Terre. Et vous avez déjà senti un cygne ? Ça sent l'iode, le lilas, d'amande, d'anis, de sot-l'y-laisse, de beaujolais et de camembert. Un cygne, ça a le goût de tout ce qui est bon. Exactement comme la Terre. Et vous avez déjà touché un cygne ? C'est doux comme du velours, rugueux comme du bois, ça chatouille les doigts comme un rocher de granit, c'est tiède comme une peau, c'est voluptueux comme un chèque. Un cygne, quand on le touche, ça fait le même effet que tout ce qui est bon à toucher. Exactement comme la Terre.

Le seul point noir de ce tableau enchanteur, c'est le côté sonore. Parce qu'elle chante, la Terre. Et si seulement elle pouvait arrêter de brailler comme ça, ça serait pas plus mal. Il n'y a rien qui écorche plus les oreilles qu'un cygne qui chante.

Vu sous cet angle, il serait peut-être préférable, après tout, que la Terre soit une tortue. Dans le fond, hein, qu'est-ce qu'on en a à faire, de la poésie, du moment qu'on a la santé (1969).

le musée

Je me balade dans les allées. Je ne raffole pas des musées en général, mais celui-ci a quelque chose de spécial. C'est certainement pour ça qu'il n'y a aucun visiteur. Les gens n'aiment que les musées traditionnels, la Joconde, la Victoire de Samothrace, la Vénus de Milo, et ça leur suffit. Tandis que moi, le pas conventionnel, j'aime ça. Qu'est-ce que je peux être avant-gardiste, alors. Loin des foules, la tour d'ivoire, dans une hautaine solitude, tout ça. Attachant, ce musée. D'abord, au contraire des autres, il est à l'air libre. On y respire, au moins. Ce qui est bizarre, c'est que malgré ça, l'air n'y est pas pur. Il flotte, le long des allées, une odeur un peu rance, de poussière, de vieilli, des parfums aigres-doux, comme dans les armoires d'où le linge propre ne sort jamais.

Il y a de la musique, aussi. Elle doit être diffusée depuis la baraque de l'entrée. Le gardien a sûrement pour mission de mettre des disques qui servent de fond so-

nore aux visites. Ce n'est pas désagréable. Quand je suis arrivé, c'était un tango. Il y a eu du Debussy, deux rumbas, un mambo, du Ravel, et quelques valses lentes. Les disques grattent un peu. Ils ne doivent pas dater d'hier. En ce moment, tiens, c'est un air d'Erik Satie. La musique d'Erik Satie a le pouvoir de teinter tout ce qu'elle baigne d'une sorte de mélancolie marrante.

Les maisons sont belles. Il n'y a pas à dire, en ce temps-là, on savait vivre. De la pierre meulière, en majorité. Un peu de brique rouge, juste ce qu'il faut pour éviter de tomber dans la baraque style « cité S.N.C.F. ». Des toits de tuiles mécaniques. Pas mal de fleurs un peu partout, à moitié fanées, pour la plupart. Du lierre jaune grimpe à peu près le long de toutes les façades. Des perrons, des fenêtres, des œils-de-bœuf, le tout enveloppé dans une abondance de décoration surannée.

Et puis, des gazons. Ah ça, des gazons, il y en a par-

85. *Dessin de Moebius*

tout. Chaque maison a le sien. Certaines ont également un petit carré de jardin en plus, mais toutes ont au moins un gazon.

Et justement, là, il y a un mannequin en cire. C'est un monsieur d'un certain âge, cheveux rares, lunettes. Employé de bureau, certainement. Il pousse une tondeuse. En réalité, il est immobile, mais l'illusion est parfaite. On a l'impression qu'il va se mettre à avancer. Il est en gilet et bras de chemise. Il a un air de grande satisfaction, comme si le fait de pousser une tondeuse constituait le comble de la félicité. Plus loin, une dame en cire est en train d'arroser un carré de radis. Elle a l'air un peu soucieux. J'imagine qu'elle s'inquiète de l'avenir de ses radis. Elle en tirera à peu près quatre kilos à vue de nez. Si elle achetait quatre kilos de radis au marché, elle n'aurait plus à s'inquiéter, mais son souci a l'air de lui être agréable. Je la comprends. C'est chouette de se faire du souci pour ses radis.

Encore un gazon, tiens, avec des petites statues de faïence posées dans l'herbe, Bambi, un nain de Blanche-Neige, un pigeon, un chat qui fait le gros dos. Des gosses en cire jouent à la balle, courant, haletants et hilares, sans bouger d'un poil. A l'écart, il y a une dame assez jolie qui lit sur une chaise longue. Ça doit être la mère.

Voilà des grilles et des haies. On voit moins bien les maisons. Un chien est en train d'aboyer en bondissant derrière des barreaux de fer forgé, entre deux thuyas, immobile et muet.

Là, je dois m'écarter un peu car il y a une voiture au milieu du chemin. Un monsieur assez jeune, en maillot de corps et blue-jean, l'air dynamique, un grand sourire heureux figé sur son visage de cire, est en train de la laver. La musique de Satie se fait plus sautillante, comme pour rythmer ses coups d'éponge.

Deux promeneurs momifiés. Deux petits vieux.

Il y a encore pas mal de choses à voir, mais je commence à être un peu fatigué. Je pense que je vais rentrer. D'ailleurs, ça ferme bientôt. Je reviendrai dimanche prochain, car ce musée n'est ouvert que le dimanche.

Je continue par la même allée en hâtant le pas. Je retrouverai sûrement la sortie par cet autre chemin. Il y a les pancartes, aussi. Elles sont étonnantes, les pancartes. Je les parcours des yeux, en vitesse, au passage : « Sam Suffi », « Mon Repos », « Ma Banlieue », « Les Tamaris », « Mon Plaisir », « La Chaumière », « La Pergola »... des noms incroyables... mais... comment ça, « La Pergola » ? Je rebrousse chemin et m'agrippe des deux mains à la barrière en bois peint derrière laquelle se dresse une maison. La Pergola. C'est pas possible. Et pourtant, ces cinq marches, ces volets bruns sales, ces deux gros pots rouges où poussent encore de vagues géraniums, et au fond, le garage, le bout de gazon... C'est ma maison, ça !...

J'habitais là, dans le temps. Vers les années 70. Ce type en cire, à lunettes noires, l'air ahuri, c'est moi. Cette femme grande, fine, qui rit aux éclats de tous ses yeux bleus et en silence, c'est ma femme. Cette petite fille qui trotte sans bouger, c'est ma fille. Je m'assois sur le muret. J'ai le coup de pompe. Je voudrais être en cire aussi.

Au bout d'un moment, je sens qu'on me tape sur l'épaule. C'est le gardien qui me fait signe, navré, que c'est l'heure de la fermeture. Je le suis vers la sortie. Il ferme derrière moi la grille du musée et je me hâte vers ma voiture. La musique d'Erik Satie s'estompe et disparaît définitivement sous le bruit de mon moteur que je mets en marche.

Je ne mettrai plus jamais les pieds dans cette saloperie de musée pourri et crasseux (1969).

un cas intéressant

(roman court)

Prologue

Je souffre de la migraine. Surtout après un repas un peu trop copieux, ce qui est totalement illogique. En effet, demandez à n'importe qui quelle est la résultante la plus courante d'un repas copieux, ce « n'importe qui » vous répondra à tous les coups : les maux d'estomac. Même si le « n'importe qui » en question est le dernier des ignares. Et pourtant, pas d'erreur, en ce qui me concerne, un repas trop copieux se solde toujours par une migraine. Rien à l'estomac, tout à la tête. La nature vous joue parfois de ces tours... comme dit le poète.

Chapitre I

Avant de supprimer les repas trop copieux de mon alimentation, je me suis dit qu'il fallait tout de même essayer d'en savoir un peu plus long sur cette énigme. C'est pourquoi j'ai décidé d'aller consulter un docteur de la tête. Je frappe, toc, toc, j'entre, et me voilà derrière l'écran de radioscopie. L'homme de science me fait mettre de face, de trois quarts, de profil. Il émet un juron rauque et rallume la lumière.

« Rhabillez-vous. » Il s'assoit derrière son bureau, l'air soucieux, se triture les yeux du bout des doigts en un geste de grande lassitude.

« Alors, docteur ? » demandé-je avec inquiétude.

Le toubib pousse un soupir, me regarde fixement, laisse un temps pour ménager son effet, et alors, en soupesant chacun de ses mots...

Chapitre II

« Cher monsieur, nous sommes en plein quiproquo. La radioscopie à laquelle je viens de me livrer à l'endroit de votre tête a été pleine d'enseignements. Vous ne souffrez pas plus de la migraine que moi : vous souffrez de brûlures d'estomac.

(Un temps.)

— De grâce, achevez, dis-je, parodiant Pyrame en un sanglot.

— Je dis bien : de brûlures d'estomac, continue-t-il. Car vous avez l'estomac à la place du cerveau. »

Après lui avoir fait part de ma très vive surprise, je lui demande ce qu'il me conseille pour mes migraines (qui, si on se souvient bien, sont en réalité des brûlures d'estomac).

« Dans l'état actuel de la science, je ne puis que vous prescrire — à tout hasard — des compresses de bicarbonate de soude sur la nuque. Essayez aussi de vous frictionner le front avec un comprimé d'Alka Seltzer... Mais je ne peux rien garantir. Il faudra trouver un remède en procédant par tâtonnements. »

Je le paie et m'apprête à partir. Il m'accompagne à la porte et après s'être gratté la gorge...

« Heu... Si par hasard vous n'avez encore rien promis à personne... puis-je m'autoriser à me mettre sur les rangs des candidats éventuels pour le cas où vous décideriez de léguer votre corps à la science... je veux dire... après votre mort, bien entendu... Je suis prêt à verser une avance, et... »

Je lui promets tout ce qu'il veut et le quitte sur ces paroles.

Chapitre III

A quelque temps de là, m'étant tant bien que mal habitué à mes migraines d'estomac, j'ai commencé à ressentir périodiquement de sourdes douleurs à la base du thorax, dans cette région située à peu près entre la poitrine et l'abdomen. A l'endroit de l'estomac, précisément. J'ai tout de suite été saisi d'un soupçon amusant. Voyons voir, d'une part, j'ai l'estomac à la place du cerveau. Bon. D'autre part, voilà maintenant que j'ai mal à l'endroit où devrait se trouver mon estomac. Donc... ha-haaa... Estomac ? Cerveau ?... Je veux en avoir le cœur net. Je vais voir un docteur de l'estomac. Toc toc. « Bonjour docteur. Je souffre de l'estomac.

— Ça tombe bien, je suis justement spécialiste de cette discipline. Mettez-vous derrière l'écran. »

Je jubile intérieurement en songeant à la découverte qu'il va faire dans peu de temps. Il me fait mettre de face, de trois quarts, de profil. « Collez-vous bien à l'écran. » Il observe longuement et se met à haleter. Puis il rallume, s'assoit, m'invite à en faire autant.

« Cher monsieur, il y a des choses difficiles à dire... des moments où un médecin échangerait bien sa place contre celle d'un ferblantier conventionné... mais je ne puis vous cacher la vérité plus longtemps... voyez-vous, votre estomac... »

Je le coupe grossièrement d'un grand rire d'où l'ironie n'est pas absente et lui lance au visage : « ... n'est autre que mon cerveau !... Et pan ! »

Il m'observe avec une grande tristesse en hochant la tête.

« Si ce n'était que ça... mais... »

Chapitre IV

« ... pas du tout. C'est l'extrémité de votre gros côlon.

— Ah bon, dis-je. C'est assez cocasse, si l'on veut bien tenir compte du fait que j'ai déjà l'estomac à la place du cerveau. Pour mes maux d'estomac, alors... enfin, je veux dire... enfin bref, qu'est-ce que je fais ?

— Eh bien, voyez-vous, nous voguons là dans un tunnel d'incertitudes, le cas d'une extrémité de gros côlon situé à la place de l'estomac se présentant, est-il besoin de vous le cacher plus longtemps, assez rarement. Pour ma part, j'avoue sans honte que c'est la première fois que je suis mis en présence d'une telle interversion frisant l'apocalyptique. Il va falloir procéder d'une façon empirique. Essayez les suppositoires à la glycérine par voie buccale. Ça fera tant. »

Là-dessus, je prends congé. Il me salue avec une politesse teintée de commisération et me touche un mot sur le problème des legs *post mortem* de corps à la science, en manipulant ostensiblement un carnet de chèques. Il avance même le mot d' « arrhes », mais je lui dis que je n'ai encore pris aucune décision à ce sujet.

« Tenez-moi au courant, conclut-il en me serrant la main, ça m'intéresserait éventuellement. Pas plus que ça, notez, mais enfin, disons que ça m'intéresserait. » Mon œil, papa. Ça, c'est comme les marchands de voitures d'occasion qui affectent de faire la moue devant la bagnole que vous voulez leur vendre, tout en se régalant intérieurement à la vue de la bonne affaire. Je rentre chez moi, persuadé d'être un véritable petit trésor ambulant pour le monde de la science.

Chapitre V

Je passe plusieurs journées à réfléchir sur mon cas étrange. Parlons peu, parlons bien. J'ai l'estomac dans le crâne. J'ai l'extrémité du gros côlon à la place de l'estomac. Ça fait trente-six ans que je vis comme ça. Que faire ? Tenter l'opération ? Je suis perplexe. A tout hasard, je prends divers contacts, dans un cirque, avec une femme-tronc, dans une baraque foraine, avec des frères siamois. Ils me font un topo qui me permet de me rendre compte à peu près des formalités à accomplir, pour le cas (peu probable) où je déciderais de léguer mon corps. Ce qu'il faut, c'est contacter plusieurs organismes (si j'ose m'exprimer ainsi) spécialisés. Choisir celui qui fait l'offre la plus intéressante. Les prix sont variables. Il y a la solution du forfait, on touche tout en bloc, le gros paquet. Ou alors, la rente viagère. C'est moins spectaculaire, bien sûr, mais on est couvert jusqu'à sa mort. Je ne sais pas. Je me tâte. En tout cas, je ne signe encore rien avec personne.

Chapitre VI

A force de réfléchir à toutes ces questions, j'attrape de violentes douleurs. D'ailleurs, j'ai remarqué depuis quelque temps que lorsque je réfléchissais avec intensité, j'attrapais régulièrement de violentes douleurs. Dans la région du derrière. Au début, je pensais que c'était le fait de rester assis longtemps, et puis je me suis dit que c'était idiot, puisqu'il m'arrive de réfléchir debout, alors. Allez hop, je vais voir un docteur du derrière.

Toc toc. « Docteur, j'ai mal au derrière quand je réfléchis.

— On va voir ça, mon petit. Et puisque nous parlons derrière, mettez-vous-y par rapport à l'écran. De face, de trois quarts, de profil. Rhabillez-vous. Asseyez-vous. Cher monsieur, il faut que je vous dise...

— OK, doc, OK. J'ai compris. Vous allez me dire que mon cerveau...

— Comment avez-vous deviné ?

— Vous comprenez, je commence à avoir une certaine habitude des affaires. J'aime mieux vous dire que, moi vivant, il faudra que vous les allongiez pour acquérir mon corps après mon décès. Vous me passerez plutôt dessus. Surtout que j'ai déjà l'estomac dans la tête et le gros côlon à la place de l'estomac.

— Allons, allons... ne nous emportons pas... on peut discuter... dites votre prix... »

Je lui réponds avec une certaine hauteur que je réfléchirai et le plante là, fou d'espoir. Je suis assez fier de moi. Je sens que je les tiens tous. Les affaires, c'est comme l'art. On est sûr d'y réussir, si on y met toutes ses tripes.

114

Epilogue

J'ai vu un copain qui prépare une thèse en psychologie. On a mangé ensemble. Comme c'était un repas copieux, j'ai attrapé des brûlures d'estomac dans la tête. Il y avait notamment un de ces cassoulets !... Mmm... un régal ! Mais alors, le vrai cassoulet, vous savez, le béton. Mon gros côlon en a pris un rude coup au plexus solaire. Comme on a beaucoup discuté, des trucs intellectuels et qui font réfléchir, ça n'a pas loupé, je me suis collé une méchante migraine au derrière.

Je lui ai raconté mon histoire. D'après lui, ce n'est pas si étonnant que ça pour quelqu'un qui me connaît. (Remarquez que les psychologues ne s'étonnent jamais de rien). Ce qui l'a le plus intéressé, c'est que j'avais le cerveau dans le derrière. Il trouve ça insolite. A son avis, il faudrait voir, dans cette curieuse conjoncture, l'origine de mon sens aigu de l'humour. Pour le reste je n'ai pris aucune décision. Vendrai-je mon corps, ou pas ? Je n'en sais rien pour l'instant. Bah, j'ai toute la vie devant moi pour m'occuper de ça (1969).

86. *Le censeur et l'inceste*

bibliographie

(arrêtée au 31 décembre 1973)

87. « La coulpe » :
Gotlib rencontre Gotlieb

1. premières œuvres - 1959-1964

La plupart des dates sont fournies sous réserves par Gotlib. En général et sauf signalé, tous les textes et adaptations sont de lui.

Mentionnons d'autre part qu'en 1960-1961, Gotlib exécute des travaux de lettrage pour les couvertures et titres des publications Lito.

Fables de La Fontaine, dessins en noir et blanc signés « Gotlieb » (+ illustrations couleurs de Henri Dimpre et Henri Blanc). Ed. Librairie Charpentier, 1er trimestre 1959. *Ce sont les premiers dessins publiés de Gotlib.*

Couverture 4 coul., non signée, pour trois volumes : *Trois belles histoires en images* (Robinson Crusoé, Davy Crockett, Moby Dick), *Trois belles histoires en images* (L'Ile au trésor, Les Trois Mousquetaires, Les Misérables), *Trois grands auteurs en un seul volume* (Contes de Perrault et Andersen, Fables de La Fontaine). Coll. « Petit Faon », 3e trim. 59.

Le Général Dourakine, in *Trois histoires complètes,* bande 4 coul. de 24 p., signée « Marcel Gottlieb », texte sous image. Coll. « Petit Faon », 3e trim. 59. *C'est la première bande publiée de Gotlib, en même temps que le volume suivant.*

Quatre contes d'Andersen, in *Trois grands auteurs en un seul volume : Petit Klaus et Grand Klaus, Le Sylphe, La petite sirène et Un couple d'amoureux,* chacun 6 p. de B.D. en 4 coul., commentaire dans image, signées « Mar-Clau » (Marcel-Claudine). Coll. « Petit Faon », 3e trim. 59.

Couverture 4 coul., signée « Mar-Clau », pour quatre albums de coloriages. Ed. Lito, 1960.

Dessins pour deux albums de *Coloriages,* non signés. Ed. Bias, 1960.

Emery et le jouet magique, « texte et images de C. Liégeois et M. Gottlieb », récit ill., couverture et ill. 4 coul., signées « Mar-Clau ». Ed. Albon, 3e trim. 60. *C'est en réalité la première œuvre de Gotlib.*

L'invité de la forêt, Titou et Friquet, Titou fait le ménage, Titou au théâtre, quatre vol. de récits ill., « texte de Jacques Djament, dessins de Mar-Clau », couverture et ill. 4 coul. Ed. Lito, 1960-1961.

Plaquette de coloriages pour Air France, couverture et dessins, signés « Mar-Got ». Ed. Lacroix-Lebeau, 1961.

Dessins en noir et blanc, signés « Mar-Got », pour un album d'images de la Caisse d'Epargne d'Avallon. Ed. Willeb, 1961.

J'apprends à dessiner, couverture et ill. 4 coul., signées « Mar-Got ». Ed. Willeb, 1961.

Blon-blon et Rou-rou, Touffu, Siam et Moa, Henni, quatre vol. de récits, ill. 4 coul., signées « Mar-Clau ». Ed. Willeb, 1961.

Pouch et la souris mystérieuse, L'escapade de Blouk, Bidou le gourmand, Touff dans un guêpier, quatre vol. de récit. ill., « texte de Jacques Djament, dessins de Marcel Gottlieb », couverture et ill. 4 coul., signées « Mar-Clau ». Ed. Lito, 1961.

Bob et Hoppy, Bob et Hoppy campeurs, deux vol. de récits ill., « texte de Jacques Djament, images de Marcel Gottlieb », couverture et ill. 4 coul., signées « Mar-Clau ». Ed. Lito, 1961.

Lire au cours moyen 2e année, dessins 2 coul., non signés. Ed. Rossignol, 1963.

Le langage au cours élémentaire, dessins 2 coul., non signés. Ed. Rossignol, 1964.

Lito Editions : Etrennes 1963, 1964, 1965, trois catalogues, lettrage, couvertures et ill. 4 coul., les deux premiers signés « Marcel Gottlieb » et « Mar-Got », le troisième non signé. Ed. Lito, 1962, 1963 et 1964.

Le personnage de présentation est un petit garçon qui deviendra en 1962 le Nanar de Vaillant.

2. vaillant-pif - 1962-1970

Nanar et Jujube :
1 pl. n. et b. du no 907 au no 917 (1962), sauf 2 pl. au no 916.
Signé « Garmo » jusqu'au no 911, non signé au no 912.
1 pl. 4 coul. du no 918 au no 933 (62).
Soit au total 28 pl. parues.

Nanar, Jujube et Piette :
1 pl. 2 coul. du no 934 (63) au no 1037 (65).
2 pl. 2 coul. du no 1038 au no 1073 (65).
Soit au total 176 pl. parues.

Jujube et Gai-Luron :
2 pl. 2 coul. du no 1074 (65) au no 1127 (66), sauf 1 pl. aux nos 1112, 1113 et 1114 (66), et 6 pl. au no 1126 (dont 3 en 4 coul.).
2 pl. 4 et 2 coul. du no 1128 (66) au no 1158 (67), sauf 5 pl. au no 1153 (dont 3 en 4 coul.).
Soit au total 143 pl. parues.

Gai-Luron :
1 pl. 4 coul. du no 1159 au no 1161 (67).
Soit au total 3 pl. parues.

Jujube et Gai-Luron :
2 pl. 4 et 2 coul. du no 1165 au no 1170 (67).
Soit au total 12 pl. parues.

Gai-Luron ou la joie de vivre :
2 pl. 4 et 2 coul. du no 1171 (67) au no 1238 (69), sauf interruption du no 1208 au no 1210, 5 pl. au no 1178 (dont 3 en 4 coul.), 4 pl. (dont 3 en 4 coul.) aux nos 1181, 1204 et 1228, 3 pl. (dont 2 en 4 coul.) aux nos 1188 et 1189.
2 pl. 4 coul. du no 1239 (69) au no 1333 (70).
Soit au total 251 pl. parues.

Dufranne encre la série à partir du no 1199 (68), il dessine sur scénarios de Gotlib à partir du no 1265 (69) et il reprend seul la série à partir du no 1334 (70).

En tout, 613 pl. de cette série sont parues entre 1962 et 1970.

HISTOIRES DIVERSES :
Gilou : 2 pl. n. et b. aux nos 909, 915 et 920 (62).
Puck et Poil : 2 pl. n. et b. aux nos 922 (repris au 1313), 925, 928 (repris au 1315), 931 (repris au 1317), 934 (repris au 1318), 936 et 942 (63).

88. « La coulpe » : théorie et pratique

Klop : 1 pl. 1/2 n. et b. aux n°s 942, 946, 948, 950, 953, 956, 963, 964, 971, 975 et 995 (63-64).
Le papoose récalcitrant : 2 pl. n. et b. au n° 911 (62).
Popp fils de Jujube : 2 pl. n. et b. au n° 966 (63).
Une grenouille têtue : 1 pl. coul. au n° 986 (64).
Marabus... : 1 pl. coul. au n° 991 (64).

1 pl. coul. au n° 1003 (64).
Spécial « Le Journal de Pif » : 7 pl. 4 coul. pour la campagne annonce de la transformation de Vaillant en Vaillant-Le Journal de Pif, n°s 1033 à 1036 (65).
La souris : 1 pl. 4 coul. aux n°s 1239, 1245, 1250, 1253, 1256, 1259 et 1261 (69), dont 6 reprises ensuite en n. et b. dans l'album « R.A.B. » n° 3.
1 pl. n. et b. au n° 1311 (70), reprenant les 10 pl. parues dans Gai-Luron poche n° 2, sous le titre : *Grandeur et misère d'une souris ahurie* (voir infra).

COUVERTURES :
N°s 986, 993, 1001, 1006, 1023 et 1032 (64-65).
Les suivantes ont été exécutées par Dufranne.

DESSINS DIVERS :
Annonce de « Nanar et Jujube » au n° 906 (62).
Annonce de « Nanar, Jujube et Piette » au n° 933 (62).
Calendrier de 1965 au n° 1023 (64).
Dessin de Noël au n° 1075 (65).
Divers jeux et publicités (dessins, 1/2 pl. et pl.) pour le journal et les poche...

GAI-LURON POCHE (supplément trimestriel petit format de 194 p. n. et b.) : n° 1 (mars 67) et n° 2 (juin 67), ces 2 n°s encrés par Dufranne, qui continuera seul la série.
Tous gags originaux de « Gai-Luron », sauf les pp. 95 à 145 du n° 1, 26 gags repris de l'hebdomadaire La Terre (voir Infra).
Au n° 2, *Grandeur et misère d'une souris ahurie,* 10 p. reprises ensuite en 1 pl. dans Pif n° 1311 (voir supra).

ALBUM « GAI-LURON » :
En réalité, fascicule n° 10 de la coll. « Les rois du rire », Ed. Vaillant, octobre 69.
48 p. 4 coul. reprenant des pl. parues dans Vaillant.

AUTRES PUBLICATIONS DU GROUPE COMMUNISTE :
Divers pubs et jeux, plus :

ANTOINETTE :
Mensuel féminin où Gotlib publie chaque mois *Cocci-nelle,* 13 strips n. et b. parus de mars 64 à mars 65.

LA TERRE :
Hebdomadaire agricole où Gotlib publie chaque semaine *Jujube à la ferme,* 31 strips n. et b. parus de novembre 64 à mai 65.
26 strips sont repris in Gai-Luron poche n° 1 (voir supra).

3. pilote - 1965 - 1973

LES DINGODOSSIERS (scénario Goscinny, dessins Gotlib) :
2 pl. au lavis du n° 292 (65) au n° 423 (67), sauf aux n°s 295, 309, 321, 330, 334, 347, 349, 361, 363, 372, 378, 385, 397 à 399, 403, 405, 407, 409, 410, 415 et 422 (4 coul. au n° 318).
3 pl. au n° 355 ; 1 pl. au n° 368.
Soit au total 110 épisodes et 220 pl. parues.
(D'autres épisodes sont parus sous le sigle « Dingodossiers », mais ils étaient de Gotlib seul — voir infra).

LA RUBRIQUE A BRAC :
2 pl. n. et b. du n° 429 (68) au n° 683 (72), sauf aux n°s 441 à 446, 495, 505 à 507, 529 à 532, 556 à 559, 571, 579, 589 à 591, 601 à 605, 608, 611 à 613, 615 à

624, 645, 648, 650, 655 à 680 et 682 (4 coul. aux n°s 584, 609, 625 et 629).
3 pl. aux n°s 518, 536, 544, 533, 561, 563, 599, 610 (4 coul.), 628 et 631 ; 4 pl. aux n°s 528, 541, 555 et 649 ; 5 pl. 4 coul. au n° 582 ; 6 pl. 4 coul. aux n°s 493 et 521 ; 8 pl. 4 coul. aux n°s 527 et 551.
Soit au total 179 épisodes et 502 pl. parues.
Plus deux épisodes de 4 pl. n. et b. dans Super Pocket Pilote n°s 3 et 4 (voir infra).

PLANCHES DIVERSES SOUS LE SIGLE DES « DINGO-DOSSIERS » :
Le confetti : 1 pl. 2 coul. au n° 280 (65).
Le gag : 6 pl. 2 coul. + *Le fichier anthropométrique du dessinateur de bandes :* 3 pl. 2 coul. au n° 283 (65).

89. « Le Bois Huon »

Les grands moments historiques de la farce : 3 pl. 2 coul. au n° 284 et 4 pl. 2 coul. au n° 288 (65).
La cloutologie : 1 pl. n. et b. + *Le clou à travers l'histoire :* 2 pl. 2 coul. au n° 286 (65).
Le film muet : 1/2 pl. 2 coul. au n° 290 (65).
Tous au bain : 6 pl. 2 coul. au n° 295 (65).
L'enseignement par les grands moyens d'information : 6 pl. 2 coul. au n° 309 (65).
Le cartable : 6 pl. 2 coul. au n° 321 (65).
Quelques moyens utiles pour s'arrêter en ski : 2 pl. 2 coul. au n° 330 (66).
1 pl. 4 coul. + *Grétel, cigogne de 1re classe :* 6 pl. 2 coul. au n° 334 (66).
Rédaction : 4 pl. au lavis au n° 347 (66).
Un oizeau énervan : 4 pl. (2 au lavis et 2 en 4 coul.) au n° 349 (66).
L'erreur : 2 pl. 4 coul. petit format au n° 353 (66).
Intermède folklorique : 6 pl. au lavis (dont 2 en 4 coul.) au n° 361 (66).
La rentrée enchantée : 6 pl. 2 coul. au n° 363 (66).
Dingo-épilogue : 1 pl. 2 coul. au n° 372 (66).
Personnalisez vos couronnes, que diantre : 1 pl. 2 coul. au n° 376 (67).
1 pl. au lavis au n° 378 (67).
Notes sur le printemps : 6 pl. 2 coul. au n° 385 (67).
Le rusé canard : 2 pl. au lavis au n° 397 (67).
Le caméléon : 5 pl. 2 coul. au n° 398 (67). Reprise de Record (voir infra).
Les 1001 façons de charger une voiture : 2 pl. 2 coul. au n° 399 (67).
L'autruche : 5 pl. 2 coul. au n° 403 (67). Reprise de Record (voir infra).
Les belles histoires de mémé Chaprot : 4 pl. 2 coul. au n° 405 (67).
Les doublures : 6 pl. 2 coul. au n° 407 (67).
1 pl. « Sommaire » au lavis + *Le monde secret de l'élève Chaprot :* 6 pl. 2 coul. au n° 415 (67).
Le noble jeu des échecs : 3 pl. 2 coul. (dont 1 en 4 coul.) au n° 422 (67).
2 pl. 2 coul. au n° 424 (67).

PLANCHES DIVERSES HORS SERIE :
Pages d'actualité et participation aux n°s « à thème », seul ou dessinateur et scénariste pour d'autres (Leconte, Poppé, etc.), pl. et dess. n. et b. aux n°s 460, 464, 467 à 472, 475, 477 (68), 481, 482, 487 à 492, 499 à 501, 503, 507, 509, 519, 521 (69), 540, 557, 569, 573, 577, 578 (70), 600, 601 et 622 (71).
1/2 pl. annonce de la « R.A.B. » au n° 559 (70).
Compte rendu d'une représentation donnée par le Nô japonais : 6 pl. 4 coul. au n° 608 (71).

1 pl. pour « Tac au tac » au n° 620 (71).
Slowburn gag : 6 pl. 2 coul. au n° 677 (72).
Europa : 1 pl. n. et b. (chanson ill.) au n° 679 (72).
Superdupont à la rescousse de Félix Potin : 4 pl. n. et b. au n° 679 (72).
Un peu de poésie que diable : 2 pl. n. et b. au n° 689 (73).
Terra me voilà : 5 pl. 4 coul. au n° 708 (73).

DESSINS GOTLIB, SCENARISTES ETRANGERS :
Mémento du dessinateur de bandes, scén. Hubuc : 6 pl. 2 coul. au n° 410 (67).
L'éléphant, scén. Reiser : 6 pl. n. et b. au n° 446 (68).
Crise de croissance, scén. Reiser : 6 pl. 4 coul. au n° 482 (69).
Une tranche de vie, scén. Mandryka : 6 pl. 4 coul. au n° 574 (70) et au n° 625 (71).
Les bas-fonds du monde animal, texte Lob : 8 pl. 4 coul. au n° 593 (71).
Superdupont, scén. Lob : 7 pl. 4 coul. au n° 672 (72). Le 2e épisode de cette série est de Gotlib seul (voir supra).

SCENARIO GOTLIB, DESSINATEURS ETRANGERS :
Voyage au fond de l'effroi, dess. Gir : 2 pl. 4 coul. au n° 563 (70).
Problème d'environnement, dess. Leconte : 2 pl. 4 coul. au n° 584 (71).
L'allée aux cent collines, dess. Druillet : 2 pl. 4 coul. au n° 584 (71).
Les amants tragiques, dess. Bretécher : 1 pl. n. et b. au n° 604 (71). Le dessin préexiste ici au scénario puisqu'il s'agissait d'un jeu.

SCENARIOS POUR MANDRYKA :
Télévision : 2 pl. n. et b. aux n°s 495, 498 et 513 (69), 1 pl. n. et b. au n° 616 (71).
L'attaquade à Sohaint : 6 pl. 4 coul. au n° 507 (69).
Glabulies dans l'azimut : L'échec des Petits Anciens : 8 pl. 4 coul. au n° 539 (70).
Clopinettes : 1 pl. 4 coul. aux n°s 559, 563 à 568, 572, 573, 577 (70), 595, 598, 599, 601, 602, 607, 616, 619 à 624, 627, 631, 634-2 pl. (71), 635 à 637, 644-n. et b. ; 645-id, 651 (72), 696, 699-2 pl., 700, 705, 707-2 pl., 708-id et 710-id n. et b. (73).
Soit au total 39 épisodes et 44 pl. parues.
Plus 1 pl. n. et b. dans COMICS 130 (voir infra).
Plus 4 *Fables-express* de 2 pl. n. et b. dans SUPER POCKET PILOTE n° 4 (infra).
Plus 2 *Rébus au pied de la lettre* de 4 et 3 pl. n. et b. dans SUPER POCKET n°s 5 et 6 (infra).

SCENARIOS POUR ALEXIS :
Les films de chevalerie : 7 pl. 4 coul. au n° 580 (70).

Chapeau melon et bottes de cuir : 7 pl. 4 coul. au n° 583 (71).
Télé : Grand Amphi : 3 pl. n. et b. au n° 614 (71).
2 pl. « Sommaire » n. et b. au n° 632 (71).
Hamlet : 9 pl. 4 coul. au n° 640 (72).
Tarass Boulba : 8 pl. 4 coul. au n° 691, 7 pl. 4 coul. au n° 692 (73).
La dame aux camélias : 10 pl. 4 coul. au n° 731, 12 pl. 4 coul. au n° 732 (73).

COUVERTURES :
N°ˢ 297 (65), 325, 330, 336, 347-dos, 351, 355, 366 (66), 381, 388, 394, 415, 421, 424-dos (67), 476 (68), 482-scén. Reiser, 493-+Mézières, 527 (69), 536, 551, 565, 580-dess. Alexis, 582-photo Quenneville (70), 583-dess. Alexis, 593-scén. Lob, 601, 608, 625, 631-dos (71), 640-dess. Alexis, 649, 672-scén. Lob (72) et 691-dess. Alexis (73).

DESSINS DIVERS :
Dessins et jeux aux n°ˢ 347, 363, 365 (66), 378 (67), 573, 578 (70) 588, 589, 595, 618 (71) et 684 (72).
Interlude, participation à une bande de Leconte : 4 strips 4 coul. au n° 671 (72).
Publicités pour albums aux n°ˢ 439-répétée, 453-répétée (68), 485-répétée (69), 566-répétée, 569 (70), 611-répétée, 614 (71), 684 (72) et 699 (73).
Participation à une bande de Mandryka : 1 dessin 4 coul. au n° 735 (73).

SUPER POCKET PILOTE (supplément trimestriel au format poche) :

N° 1 (juin 68) :

Chaprot, société anonyme, 8 pl. n. et b.
Fables-express :
    Le scénario refusé, 2 pl. n. et b.
    Le drame d'un père, 2 pl. n. et b.
    Mon ami Jerzy..., 2 pl. n. et b.

N° 3 (mars 69) :

La Rubrique à brac : Le coin des sciences, 4 pl. n. et b.

N° 4 (juin 69) :

La Rubrique à brac : Bluette en zone bleue, 4 pl. n. et b.
Fables-express, dess. Mandryka :
    Le petit bruit, 2 pl. n. et b.
    Le mystérieux météore bourguignon, 2 pl. n. et b.
    La jument interdite, 2 pl. n. et b.
    Le pauvre Auguste, 2 pl. n. et b.

N° 5 (sept 69) :

Fables-express :
    Le passeur malhonnête, 2 pl. n. et b.
    GH' le joyeux martien, 2 pl. n. et b.
    Légende tibétaine, 2 pl. n. et b.
    Le petit facteur rural, 2 pl. n. et b.
Rébus au pied de la lettre, dess. Mandryka, 4 pl. n. et b.

N° 7 (mars 70) :

Rébus au pied de la lettre, dess. Mandryka « sur une idée de Gotlib », 3 pl. n. et b.

ANNUEL PILOTE (supplément annuel) :
N° 1 (n° 628 bis, hors série, 18 sept. 71) :
Petits mystères physiologiques : la chatouille, 4 pl. n. et b.

90. « *Le Bois Huon* » : *face à face tendu*

L'inspiration artistique, 2 pl. 4 coul.
Plus reprise de 4 pl. n. et b. de la « R.A.B. » (n°ˢ 566 et 588) et de *L'allée aux cent collines*, dess. Druillet (n° 584).
N° 2 (n° 679 bis, hors série, 9 sept. 72) :
La pantomime, 6 pl. n. et b.
Plus reprise des *Amants tragiques*, dess. Bretécher (n° 604).
N° 3 (n° 731 bis, hors série, 8 nov. 73) : reprise des 2 pl. de *Désamorçage* (n° 640).

ALBUMS DARGAUD :
Les dingodossiers :
N° 1 : 96 p. 2 coul., 3ᵉ trim. 67.
N° 2 : 80 p. n. et b., dont 28 en 4 coul., et reprenant des pl. de Gotlib seul, 4ᵉ trim. 72.
La R.A.B. :
N° 1 : 95 pl. n. et b., 2ᵉ trim. 70.
N° 2 : 96 pl. n. et b., dont 32 en 4 coul., 2ᵉ trim. 71.
N° 3 : 80 pl. n. et b., dont 32 en 4 coul., et reprenant aussi 6 pl. de *La souris* précédemment parues dans VAILLANT (voir supra), 2ᵉ trim. 72.
N° 4 : 80 pl. n. et b ; dont 32 en 4 coul ; et reprenant des pl. diverses, 1ᵉʳ trim. 73.
N° 5 : (à paraître).
Clopinettes (dess. Mandryka) :
— 1 vol. (à paraître).
Cinémastock (dess. Alexis) :
— 1 vol. (à paraître).

4. rock & folk depuis 1971

Hamster Jovial :
1 pl. n. et b. mensuelle depuis le n° 59 (nov. 71).
A noter, 2 pl. 4 coul. au n° 72 (janv. 73) : *La discothè-* que *d'Hamster Jovial* (mise en couleurs par Jean Solé), et 6 pl. n. et b. au n° 83 (déc. 73) : *Le Grand Magic Circus.*

5. l'écho des savanes depuis 1972

Trimestriel édité par les Ed. du Fromage (Bretécher-Gotlib-Mandryka).

N° 1 (2ᵉ trim. 72) :
    Le joli matin tout plein de lumière, 12 pl. n. et b.
    1 pl. n. et b.
    La rétention lumineuse, 2 pl. n. et b.
    Et maintenant, une page de publicité..., 1 pl. n. et b.
    Fable-express, 1/2 pl., dess. Mandryka.

N° 2 (3ᵉ trim. 72) :
    Couverture 4 coul.
    Les trompettes de Jéricho, 1 pl. n. et b.
    Au p'tit bois-p'tit bois charmant quand on y va on est à l'aise, 11 pl. n. et b.
    Roman-photo de 4 pl. scén. Mandryka-Gotlib. photos Delphine Perret.
    2 pl. de texte avec ill. n. et b.
    2 pl. n. et b.
    Page rédactionnelle (3 de couverture).

N° 3 (1ᵉʳ trim. 73) :
    La coulpe, 15 pl. n. et b. 1 p. de texte avec ill n. et b. Page rédactionnelle (3 de couverture) 1 pl. n. et b. (dos).

N° 4 (3ᵉ trim. 73) :
    Hé... dites... ho... rial, 1 p. de texte avec ill.
    La triste histoire du monsieur qui avait deux bistouquettes, 3 pl. n. et b.
    2 p. de texte avec ill. n. et b.
    Œdipus censorex, 11 pl. n. et b.
    Page rédactionnelle (3 de couverture).

N° 5 (4ᵉ trim. 73) :
    Couverture 4 coul.
    Wolfgang Amedeus Quincampoix, 9 pl. n. et b.
    Le beau cow-boy et la squaw, 1 pl. n. et b.
    2 p. de texte avec ill. n. et b.
    Le défi, 4 pl. n. et b.
    Page rédactionnelle (3 de couverture).

91. Dessin de Dany

6. divers gotlib - 1965 - 1973

RECORD :
Le caméléon présenté par le professeur Frédéric Rose-bif : 5 pl. 4 coul. avec personnage photo collé au n° 37 (janv. 65).
Repris in PILOTE n° 398 (67) avec suppression du photomontage.
L'autruche présentée par le professeur Frédéric Rose-bif : 5 pl. 4 coul. avec personnage photo collé au n° 39 (mars 65).

Repris in PILOTE n° 403 (67) avec suppression du photomontage.

TOTAL JOURNAL :
Le cas de la patte du marabout, dess. Mandryka : 2 pl. 4 coul. au n° 20 (mai 69).

COMICS 130 :
Fable-express refusée à PILOTE, dess. Mandryka : 1 pl. n. et b. au n° 5 (oct. 71).

LES CAHIERS DE LA BANDE DESSINÉE :
Couverture 4 coul. + pl. et dess. inédits au n° 13
(4ᵉ trim. 71, rééd. 4ᵉ trim. 72).

ACTUEL :
Dessins pour dossier « Tout au bout de la route » au
n° 21 (juin 72). Dessins pour rubrique « Hyma la hyène »
aux n°ˢ 36 et 37 (nov. et déc. 73).

ZOOM :
Dessins n. et b. pour « Photologie » de Chenz aux
n°ˢ 14 (sept.-oct. 72), 15 (nov.-déc. 72) et 16 (janv.-
fév. 73).

LE PETIT MICKEY QUI N'A PAS PEUR DES GROS :
Couverture n. et b. des n°ˢ 4 (mai 73) et 5 (oct. 73).

L'EXPRESS :
Couverture 4 coul. du n° 1156 (3 sept. 73).

ONE SHOT :
Dessin n. et b. pour une nouvelle de Ph. J. Farmer au
n° 1 (oct. 73).

Certaines histoires de Gotlib ont été reprises dans des
fanzines, par exemple :
Grétel, cigogne de 1ʳᵉ classe (PILOTE n° 334), dans
COMICS SENTINEL n° 1 (4ᵉ trim. 72).
A l'étranger, de nombreux replacements sont effectués.
Citons entre autres :
MAINMISE, revue canadienne reprenant les bandes de
L'ECHO.
SORRY, revue italienne, reprenant des « R.A.B. ».
STRIPSCHRIFT, revue néerlandaise, reproduisant *Le
joli matin tout plein de lumière* (L'ECHO n° 1) dans
son n° 51/52 (mars-avr. 73).

DISQUE :
Albert Montias chante Gotlib, pochette contenant une
bande de 4 strips n. et b. illustrant la chanson *Les
bougresses*, disque contenant deux chansons : *Les
bougresses* et *Je suis un mauvais Français*, paroles de
Gotlib, musique de Perraudin. 1 disque 45 tours RCA
n° 49165 (mai 71).

POSTERS :
The true Tarzan, 4 coul. grand format, Ed. Scandecor
(1972).
Tarzan et les trois singes, idem (en préparation).
Posters aux Ed. du Fromage (en préparation).

PUBLICITÉS :
1 pl. n. et b. pour « Le feu de camp du dimanche
matin » dans PARISCOPE et JOURS DE FRANCE
(oct. 69).
*Un nouvel outil promotionnel, le voyage de stimula-
tion :* plaquette pour l'agence Cook. Couverture et
bandes n. et b. Ed. Publicis, Paris (1971).
Divers affichettes, autocollants, présentoirs, etc., pour
PILOTE et L'ECHO.
La coccinelle est un peu partout reproduite : tee-
shirts, affiches (le film *Fantasia chez les ploucs*), etc.
Affiche n. et b. pour *Introduction à l'esthétique*, spec-
tacle du « Vrai chic Parisien » (73). Reproduite in Rock
& Folk n° 82 (nov. 73).
Carte d'invitation n. et b. pour coktail du diffuseur « La
Marge » (nov. 73).

TEXTES DE GOTLIB :
Sachez acheter, par Gai-Luron (+ ill.), in album « Les
rois du rire » (voir Supra), octobre 69.
Mandryka l'enragé : PHENIX n° 10 (3ᵉ trim. 69).
Introduction à l'album « R.A.B. » n° 1. (voir Supra),
2ᵉ trim. 70.

Jean Tabary : le petit auriculet : KRUKUK n° 4 (1971).
La chaussette de l'épouvante (nouvelle ill. par Gir) :
PILOTE n° 618 (71).
La boule (nouvelle ill. par Mandryka) : LES CAHIERS
DE LA BANDE DESSINÉE n° 13 (4ᵉ trim. 71, rééd.
4ᵉ trim. 72). Adaptée en B.D. in PILOTE n° 647 (72) et
album « R.A.B. » n° 4.
Chansons in « Albert Montias chante Gotlib » (voir
supra), 71.
Ode à Claire, in album. « Les états d'âme de Cellulite »,
de Claire Bretécher. Ed. Dargaud (1ᵉʳ trim. 72).
Divers textes in L'ÉCHO depuis le n° 2 (voir supra),
1972.

92. « *La coulpe* »

Texte sur les Beatles (+ ill. n. et b.) in *Nous, cette
semaine...*, de Guy Vidal. PILOTE n° 642 (72).
Europa ! (chanson + ill. n. et b.) : PILOTE n° 679 (72).

GOTLIB ET RADIO, TÉLÉ, CINÉ, THÉÂTRE, ETC. :
Court-métrage Télé d'après *Le boueux de mon enfance*
(PILOTE n° 465 et album « R.A.B. » n° 1), réal. Yves
Kovacs pour l'émission 2ᵉ chaîne de Jean Frappat
« Coda » (1969).
Emission radio « Le feu de camp du dimanche matin »,
avec Goscinny, Gébé et Fred, 13 émissions hebdos
sur Europe 1 (oct. 69-janv. 70).
Adaptation radio de *De l'autre côté du moulin* (PILOTE
n° 562 et album « R.A.B. » n° 3) pour l'émission d'Inter
Variétés « TSF 70 », de Garetto et Codou (6 sept. 70).
Adaptation théâtrale de *L'absurbe* (PILOTE n° 585 et
album « R.A.B. » n° 4) dans le cadre du spectacle « Les
voix insoumises d'Espagne » par le Théâtre Populaire
des Pyrénées, à Pau (1971).

Dessins d'enfants de Gotlib pour le film *Le viager*, de Goscinny-Tchernia (1971).

Acteur dans *L'an 01*, film de Gébé-Doillon (1972).

Figure dans le court-métrage *Le laboratoire de l'angoisse*, de Patrice Leconte (1972).

Le derrière du cinéma, court-métrage d'après *Langage cinématographique* (PILOTE nº 499 et album « R.A.B. » nº 2), réal. Christian Ferlet (1972). Gotlib désavoue totalement ce film, réalisé sans sa participation.

Acteur dans le roman-photo de l'ÉCHO nº 2 (voir supra), 1972.

Participe à l'émission télé « Court-circuit », prod. Bénédicte Baillot-Hardy, 1re chaîne (20 sept. 73).

Scénario d'un long métrage avec Patrice Leconte, en préparation.

DISTINCTIONS HONORIFIQUES :

1969 : prix Phénix du meilleur scénario comique pour « Gai-Luron ».

1971 : grand prix Phénix pour l'ensemble de son œuvre.

1972 : prix du délire graphique de la National Cartoonist Society, au 1er congrès de la B.D. de New York.

1973 : 1/3 du prix de la meilleure revue de B.D. pour L'ÉCHO, au 1er salon de la B.D. de Toulouse.

1974 : proposé pour le Goncourt.

1975 : nommé Chevalier des Arts et Lettres.

1988 : entre à l'Académie française.

1999 : prix du Mérite agricole (à titre posthume).

7. articles et critiques sur gotlib

Je n'ai pas noté ici toutes les citations et critiques de Gotlib dans des articles qui ne le concernent pas directement. De même, je me suis limité aux études les plus importantes à propos de L'ÉCHO.

Hardi, Mauriac ! (Mauriac in « Dingodossiers »). MINUTE (6/7/67).

Sablier est enfoncé (la télé in PILOTE — Gotlib entre autres). MINUTE (11/67).

Marcel Gotlib, interview par Claude Moliterni. PHENIX nº 8 (4e trim. 68).

Merci... Gotlib. LA BOUILLOTTE A BRAS (revue étudiante de Liège) (2/69).

Gai-Luron à l'honneur (prix Phénix). VAILLANT nº 1238 (2/69).

Gai-Luron, la meilleure B.D. comique (id.), par Georges Rieu. PIF nº 1285 (11/70).

Marcel Gotlieb : « Un lecteur de treize ans a pleuré sur une des mes bandes antiracistes », interview par Michel Felet. LA PRESSE NOUVELLE (revue juive), nº 180 (6/2/70).

Gotlib : un humour dingue, par Jean-Louis Cousin (+ dessin original). MUSIC MAKER nº 3 (11/6/70).

Presse-livres, par Paul Alessandrini. ROCK & FOLK nº 42 (7/70).

Gotlib, par Bernard de Burnebise. ACTUEL nº 2 (11/70).

La bande dessinée, un art d'aujourd'hui (entre autres, interview de Gotlib), par Michel Daubert et Pierre Lebedel. LE FIGARO (12/3/71).

Gotlib : tentative d'approche de la figuration narrative moderne, par J. R. Socquet-Clerc. HAD nº 5 (4/71).

La bande dessinée, c'est sérieux ! (entre autres, Gotlib), par Sylviane Stein, Pascal Bauchard et Pierre Ganz. CFJ INFORMATION nº 22 (3/6/71).

Gotlib, interview par Claude Moliterni. PHENIX nº 18 (3e trim. 71).

Nous, cette semaine... (entre autres, Gotlib), par Guy Vidal. PILOTE nº 617 (2/9/71).

Piloto-flashes, par Jean Florac. PILOTE nº 618 (9/9/71).

Falatoff a rencontré Gotlib, interview par Michel Maigrot, Jacques Fay et Frédéric Bidot. FALATOFF nº 1 (10/71).

Presse-livres, par Marjorie Alessandrini. ROCK & FOLK nº 58 (11/71).

Les mythes de Pilote (entre autres, Gotlib). ANNUEL PILOTE nº 1 (11/71).

Spécial Gotlib, interview, études, biblio. + ill. inédites et nouvelle de Gotlib. 40 p. par G. Brunoro, A. Degru, Y. Di Manno, G. Filet, H. Filippini, J. Glénat, J. M. Lan-nes, N. Sadoul. LES CAHIERS DE LA BANDE DESSINÉE nº 13 (4e trim. 71, réédition 4e trim. 72).

Le français et la bande dessinée (étude d'une planche et utilisation de la coccinelle en cul-de-lampe), par Didier Convard et Serge Saint-Michel. Ed. Nathan (1972).

Nous, cette semaine..., par Guy Vidal. PILOTE nº 643 (2/3/72).

La bande dessinée adulte (entre autres, Gotlib), par Jacques Zimmer. LA REVUE DU CINEMA-IMAGE ET SON nº 260 (4/72), repris in BD 72, nº spécial de la même revue (12/72).

60 jours d'images. ZOOM nº 12 (5/6/72).

Nous, cette semaine..., par Guy Vidal. PILOTE nº 659 (22/6/72).

Presse-livres (L'ÉCHO), par Marjorie Alessandrini. ROCK & FOLK nº 66 (7/72).

Les jeunes et leurs livres, par Christian Maillet. LE SOIR (5/7/72).

Livres (L'ÉCHO), par Noëlle de Roissy. ZOOM nº 14 (9/10/72).

Bing Grrr Vroaar, interview de Gotlib et Bretécher par Claudine Bories. OPTIONS nº 70 (10/72).

Si c'est pas vrai, je suis un menteur : tagada (L'ÉCHO et Gotlib), par François Cavanna. CHARLIE HEBDO nº 101 (23/10/72).

Gotlib o dell' assurdo, par Piero Zanotto (+ bande tirée de PILOTE). SORRY nº 3 (11/72).

Presse-livres (L'ÉCHO), par Marjorie Alessandrini. ROCK & FOLK nº 70 (11/72).

Les rois de la bédé : Gotlib, interview par Patrice Michel. POP MUSIC nº 128 (20/12/72).

Scènes (L'ÉCHO), par Howard Smith et Tracy Young. THE VILLAGE VOICE (21/12/72).

Presse-livres, par Marjorie Alessandrini. ROCK & FOLK nº 72 (1/73).

Livres, par Hyma la Hyène. ACTUEL nº 27 (1/73).

L'écho des savanes, interview du trio. POST SCRIPTUM nº 2 (3/73).

Bandes dessinées : fanzines (L'ÉCHO), par Christian et Marc Duveau. HORIZONS DU FANTASTIQUE nº 22 (1er trim. 73).

De grollen en grappen van Gotlib, par Hans Van Den Boom (+ bande tirée de L'ÉCHO nº 1). STRIPSCHRIFT nº 51/52 (3/4/73).

Livres (L'ÉCHO), par Hyma La Hyène. ACTUEL nº 30 (4/73).

Les jeunes et leurs livres, par Christian Maillet. LE SOIR (25/4/73).

Presse-livres, par Marjorie Alessandrini. ROCK & FOLK nº 76 (5/73).

Spécial « Gotlib est mort ». LE PETIT MICKEY QUI N'A PAS PEUR DES GROS nº 4 (5/73).

Parlez-moi d'humour : la bande dessinée n'est pas qu'un divertissement, interview par Nicole Bonin. PHOTO JOURNAL (Montréal) nº 8, vol. 37 (4/6/73).

Les rires de Gotlib, par Philippe Koechlin (non signé). LE NOUVEL OBSERVATEUR nº 455 (30/7/73).

Dis monsieur... raconte-moi son histoire : Gotlib, par Patrick Giraud. SPHINZINE nº 16 (9/73).

Les petites bêtes de Gotlib, interview, et Rubrique à brac nº 4 par J. P. Gras. PTORGUS nº O (nov. 73).

93. *Planche finale de « La coulpe »*

table des illustrations

94. « Œdipus censorex » : la première épreuve...

table des matières

95. Le meurtre
du père

96. Dessin d'Alexis

ŒDIPUS CENSOREX

MONSIEUR LE CENSEUR DANS SON BUREAU CENSURE.
MADAME LA CENSEUSE SE FAIT MASSER PAR SA MASSEUSE.
LE FILS DU CENSEUR, QUANT À LUI, EST À L'ÉCOLE ET ÉTUDIE.
IL VA BIENTÔT ÊTRE QUATRE HEURES. IL VA FALLOIR QUE LE CENSEUR
AILLE CHERCHER SON FILS À L'ÉCOLE. EN EFFET, LA CENSEUSE
NE SORT DE CHEZ SA MASSEUSE : QU'À SIX HEURES.

97. Le censeur et sa « mission divine »...

Achevé d'imprimer le 20 février 1974
sur les presses d'Offset-Aubin à Poitiers

Dépôt légal 1ᵉʳ trimestre 1974
Numéro d'édition 5176
Numéro d'impression 4698
Imprimé en France

Gotlib